문제로 개념 잡는 초등 영문법

Grammar, ZAP!

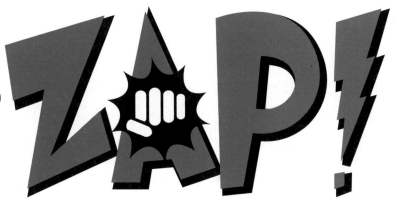

심화 3

구성과 특징

- 짜임새 있게 구성된 커리큘럼
- 쉬운 설명과 재미있는 만화로 개념 쏙쏙
- 단계별 연습 문제를 통한 정확한 이해
- 간단한 문장 쓰기로 완성

1 *Preview In Storytelling*

- 본격적인 학습에 앞서 Unit 학습 내용과 관련된 기본 개념들을 동갑내기 친구인 산이와 민지, 시경이와 연아의 스토리를 통해 흥미롭고 재미있게 접할 수 있도록 도와줍니다.

2 *Grammar Point*

- 해당 Unit의 문법 개념을 다양한 예시문과 함께 쉽게 풀어서 설명하고, 재미있는 만화로 간단한 문장 속에서 문법을 익힐 수 있게 도와줍니다.

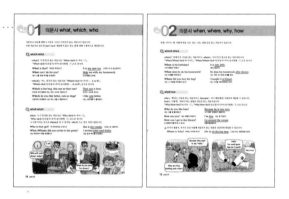

3 *Grammar Walk*

- 학습 내용을 잘 이해했는지 간단하게 확인하는 문제입니다. 가장 기초적인 연습 문제로 단어 쓰기, 2지 선택형, 배합형(match) 등으로 구성하였습니다.

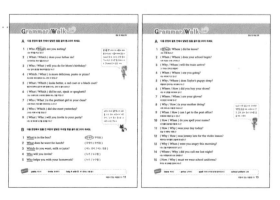

4 *Grammar Run/Jump/Fly*

- 학습한 내용을 본격적으로 적용하고, 응용해 볼 수 있는 다양한 유형의 연습 문제입니다.
- 단계별 연습 문제를 통해 개념을 정확하게 이해하고, 간단한 문장을 완성할 수 있도록 구성하였습니다.

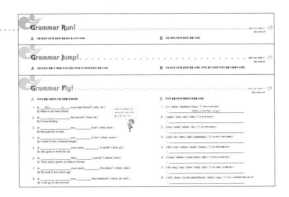

5 *Grammar & Writing*

- 창의 서술형 평가에 대비하기 위해 사진이나 그림 묘사하기, 표 해석하기, 정보 활용하기, 상황 묘사하기와 같은 문제를 수록하여 문법 개념을 이해하는데 그치지 않고 쓰기와 말하기에서도 활용할 수 있도록 하였습니다.

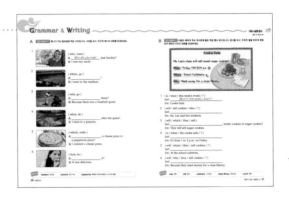

6 *Unit Test*

- Unit이 끝날 때마다 제시되는 마무리 테스트입니다. 객관식, 주관식 등의 문제를 풀면서 시험에 대비할 수 있도록 하였습니다.

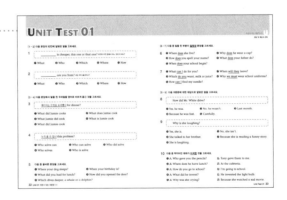

7 *Wrap Up*

- 해당 Unit을 마무리하며 요약하여 복습하고 빈칸을 채워 볼 수 있습니다.
- Check Up에서는 만화의 대화를 완성하며 마무리합니다.

활용방법

Book	Month	Week	Day	Unit	
1	1	1	1	1. 현재 시제	Unit Test 01
			2	2. 과거 시제	Unit Test 02
				Review Test 01	
		2	1	3. 미래 시제	Unit Test 03
			2	4. 진행 시제	Unit Test 04
				Review Test 02	
		3	1	5. 조동사 (1)	Unit Test 05
			2	6. 조동사 (2)	Unit Test 06
				Review Test 03	
		4	1	7. 조동사 (3)	Unit Test 07
			2	8. 여러 가지 문장	Unit Test 08
				Review Test 04	
				Final Test 01 ~ 02	
2	2	1	1	1. 셀 수 있는 명사와 셀 수 없는 명사	Unit Test 01
			2	2. 형용사와 부사	Unit Test 02
				Review Test 01	
		2	1	3. 비교 (1)	Unit Test 03
			2	4. 비교 (2)	Unit Test 04
				Review Test 02	
		3	1	5. to부정사 (1)	Unit Test 05
			2	6. to부정사 (2)	Unit Test 06
				Review Test 03	
		4	1	7. 동명사	Unit Test 07
			2	8. 동명사와 to부정사	Unit Test 08
				Review Test 04	
				Final Test 01 ~ 02	

Grammar, Zap!

심화 단계는 총 4권 구성으로 권당 4주, 총 4개월(권당 1개월)에 걸쳐 학습할 수 있도록 구성하였습니다. 하루 50분씩, 주 2일 학습 기준입니다.

Book	Month	Week	Day	Unit	
3	3	1	1	1. 의문사 있는 의문문 (1)	Unit Test 01
			2	2. 의문사 있는 의문문 (2)	Unit Test 02
				Review Test 01	
		2	1	3. 현재 완료 시제 (1)	Unit Test 03
			2	4. 현재 완료 시제 (2)	Unit Test 04
				Review Test 02	
		3	1	5. 현재 완료 시제 (3)	Unit Test 05
			2	6. 전치사	Unit Test 06
				Review Test 03	
		4	1	7. 재귀대명사	Unit Test 07
			2	8. 부정대명사	Unit Test 08
				Review Test 04	
				Final Test 01 ~ 02	
4	4	1	1	1. 여러 가지 동사 (1)	Unit Test 01
			2	2. 여러 가지 동사 (2)	Unit Test 02
				Review Test 01	
		2	1	3. 여러 가지 동사 (3)	Unit Test 03
			2	4. 여러 가지 동사 (4)	Unit Test 04
				Review Test 02	
		3	1	5. 수동태 (1)	Unit Test 05
			2	6. 수동태 (2)	Unit Test 06
				Review Test 03	
		4	1	7. 접속사 (1)	Unit Test 07
			2	8. 접속사 (2)	Unit Test 08
				Review Test 04	
				Final Test 01 ~ 02	

Contents

의문사 있는 의문문 (1)

시경이와 놀이터를 지나가는데
평소 못 보던 여자아이가 눈에
띄었다.

Who is that girl?

저 여자아이가 누구냐고?
시경이가 사람이 누구인지 묻는
의문사 who를 사용해 묻는다.
함께 가서 물어보자!

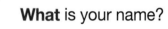

What is your name?

I'm Jenny.

먼저 이름이 무엇인지 물어봐야지.
이때는 무엇인지 묻는 의문사 what을
사용하여 물어볼 수 있지.

Where do you live?

I live in the U.S.

제니가 어디에 사는지 궁금해 '어디'를
묻는 의문사 where를 사용해서 물어본다.
친절하게 대답해 주는 제니.

Why are you so pretty?

제니는 멀리 사는구나.
그런데 왜 이렇게 예쁜 거야.
그래, 이유를 한번 물어볼까?
이유를 묻는 의문사 why
출동이오.

구체적인 것을 물을 수 있는
의문사가 있으니 좋네.
새 친구를 만났을 때 궁금한 걸
척척 물어볼 수 있잖아.

의문사 있는 의문문 (1) **9**

01 의문사 what, which, who

사람이나 사물에 대해 누구인지 그리고 무엇인지 묻는 의문사가 있습니다.
이런 의문사로 물으면 yes나 no로 대답하지 않고 묻는 말에 대해 구체적으로 대답합니다.

A what과 which

- what은 '무엇'인지 묻는 의문사로 「What+be동사+주어 ~?」,
  「What+do동사/조동사+주어+동사원형 ~?」으로 씁니다.

  What is that? 저것은 무엇이니?   It is <u>my new toy</u>. 그것은 내 새 장난감이다.

  What can I do for you?   <u>Help me with my homework</u>.
  내가 너를 위해 무엇을 해 줄까?   내 숙제를 도와줘.

- which는 '어느 것'인지 묻는 의문사로 「Which+be동사+주어 ~, A or B?」,
  「Which+do동사/조동사+주어+동사원형 ~, A or B?」 등으로 씁니다.

  Which is her bag, this one **or** that one?   <u>That one</u> is hers.
  이것과 저것 중에서 어느 것이 그녀의 가방이니?   저것이 그녀의 것이다.

  Which do you like better, cats **or** dogs?   I like <u>cats</u> better.
  고양이와 개 중에서 너는 어느 것을 더 좋아하니?   나는 고양이를 더 좋아한다.

B who와 whom

who는 '누구'인지를 묻는 의문사로 「Who+be동사+주어 ~?」,
「Who+do동사/조동사+주어+동사원형 ~?」 등으로 씁니다.
'누구를'이라는 뜻으로 whom을 쓸 수 있지만, who를 쓰는 것이 자연스럽습니다.

Who is that girl? 저 여자아이는 누구니?   She is <u>my cousin</u>. 그녀는 내 사촌이다.

Who(=**Whom**) did you invite to the party?   I invited <u>John and Kathy</u>.
너는 파티에 누구를 초대했니?   나는 존과 캐시를 초대했다.

Grammar Walk

A 다음 문장의 괄호 안에서 알맞은 말을 골라 동그라미 하세요.

1 (Who / (What)) are you eating?
너는 무엇을 먹고 있니?

2 (What / Which) does your father do?
네 아버지는 무슨 일을 하시니?

3 (Who / What) will you do for Mom's birthday?
너는 엄마 생신을 위해 무엇을 할 거니?

4 (Which / What) is more delicious, pasta or pizza?
파스타와 피자 중에서 어느 것이 더 맛있니?

5 (What / Which) looks better, a red coat or a black coat?
빨간색 외투와 검은색 외투 중에서 어느 것이 더 좋아 보이니?

6 (What / Which) did he eat, steak or spaghetti?
그는 스테이크와 스파게티 중에서 어느 것을 먹었니?

7 (Who / What) is the prettiest girl in your class?
너희 반에서 가장 예쁜 여자아이는 누구니?

8 (Who / Which) did she meet yesterday?
그녀는 어제 누구를 만났니?

9 (What / Who) will you invite to your party?
너는 네 파티에 누구를 초대할 거니?

괄호를 뺀 나머지가 사람에 대해 묻는지(who) 사물에 대해 묻는지(what) 잘 봐. 그리고, 문장 끝에 「A or B」가 있으면 둘 중에서 어느 것(which)인지 묻는 거야.

의문사 뒤에 일반동사가 바로 올 수도 있어. 의문사가 '어떤 것이', '누가' 등의 뜻으로 주어로 쓰이는 경우야.

B 다음 문장에서 밑줄 친 부분의 알맞은 우리말 뜻을 골라 동그라미 하세요.

1 <u>What</u> is in the box?　　　　　((무엇이) / 무엇을)

2 <u>What</u> does he want for lunch?　　(무엇이 / 무엇을)

3 <u>Which</u> do you want, milk or juice?　(어느 것이 / 어느 것을)

4 <u>Who</u> will you invite?　　　　　(누가 / 누구를)

5 <u>Who</u> helps you with your homework?　(누가 / 누구를)

WORDS　· pasta 파스타　· invite 초대하다　· help A with B A가 B하는 것을 돕다

02 의문사 when, where, why, how

'언제, 어디서, 왜, 어떻게'처럼 시간, 장소, 이유, 방법 등을 묻는 의문사가 있습니다.

A when과 where

when은 '언제'인지 시간을 묻는 의문사이고, where는 '어디'인지 장소를 묻는 의문사입니다.
「When/Where+be동사+주어 ~?」,「When/Where+do동사/조동사+주어+동사원형 ~?」으로 씁니다.

When is his birthday?
그의 생일은 언제니?

It is July 24th.
7월 24일이다.

When does he do his homework?
그는 숙제를 언제 하니?

He does his homework after dinner.
그는 저녁 식사 후에 숙제를 한다.

Where did you buy the bag?
너는 그 가방을 어디에서 샀니?

I bought it at Kmart.
나는 그것을 케이마트에서 샀다.

B why와 how

why는 '왜'라는 이유를 묻는 의문사이고, because(~하기 때문에)를 사용하여 대답할 수 있습니다.
how는 '어떻게', '얼마나'라는 방법과 정도를 묻는 의문사입니다.
「Why/How+be동사+주어 ~?」,「Why/How+do동사/조동사+주어+동사원형 ~?」으로 씁니다.

Why do you like him?
너는 그를 왜 좋아하니?

Because he is very nice.
그가 매우 친절하기 때문이다.

How are you? 너는 어떻게 지내니?

I'm fine. 나는 잘 지낸다.

How can I get to the library?
도서관에 어떻게 갈 수 있니?

Go around the corner.
모퉁이를 돌아라.

💡 부사나 형용사, 부사구 등을 이용해 의문사가 묻는 내용만 간단하게 대답할 수 있습니다.

Where is Toby? 토비는 어디에 있니?

(He is) At the bus stop. (그는) 버스 정류장에 (있어).

Grammar Walk

정답 및 해설 2쪽

A 다음 문장의 괄호 안에서 알맞은 말을 골라 동그라미 하세요.

1 ((When) / Where) did he leave?
그는 언제 떠났니?

2 (When / Where) does your school begin?
너희 학교는 언제 시작하니?

3 (Why / When) will the train arrive?
그 기차는 언제 도착할까?

4 (When / Where) are you going?
너는 어디에 가고 있니?

5 (Why / Where) does Taylor's puppy sleep?
테일러의 강아지는 어디에서 자니?

6 (Where / How) did you buy your shoes?
너는 네 신발을 어디에서 샀니?

7 (Where / When) are your gloves?
네 장갑은 어디에 있니?

8 (Why / How) is your mother doing?
너희 어머니는 어떻게 지내시니?

9 (When / How) can I get to the post office?
우체국에 어떻게 갈 수 있니?

10 (How / When) do you spell your name?
네 이름의 철자를 어떻게 쓰니?

how는 어떤 일을 하는 구체적인 '방법'을 물을 때도 사용하고, (건강, 감정, 날씨 등의) 상태를 물을 때도 사용해.

11 (How / Why) was your day today?
오늘 네 하루는 어땠니?

12 (Why / How) was Jeremy late for the violin lesson?
제러미는 바이올린 교습에 왜 늦었니?

13 (Why / When) were you angry this morning?
너는 오늘 아침에 왜 화가 났니?

14 (Where / Why) did you call me last night?
너는 어젯밤에 왜 내게 전화했니?

15 (How / Why) must we wear school uniforms?
우리는 왜 교복을 입어야 하니?

WORDS · **leave** 떠나다 · **arrive** 도착하다 · **spell** (어떤 단어의) 철자를 말하다[쓰다] · **school uniform** 교복

Grammar Run! ....

A 다음 문장의 빈칸에 알맞은 말을 골라 동그라미 하세요.

1 Where _____ the post office? **①** is **②** are

2 What _____ that in your hand? **①** is **②** are

3 Why _____ they so excited? **①** is **②** are

4 How _____ the weather now? **①** is **②** are

5 How _____ Paul go to the library? **①** do **②** does

6 Where _____ Tina have lunch? **①** does **②** do

7 Why _____ babies cry? **①** do **②** does

8 Who _____ you know? **①** do **②** does

9 What _____ do after school? **①** you will **②** will you

10 Who _____ miss the most? **①** will she **②** she will

11 When _____ see you again? **①** can I **②** I can

12 Why _____ leave now? **①** you must **②** must you

13 What _____ in the cave? **①** live **②** lives

14 Who _____ the flowers? **①** water **②** waters

15 Which _____ first, the chicken or the egg? **①** comes **②** come

---

WORDS · **excited** 신이 난, 들뜬, 흥분한 · **miss** 그리워하다 · **cave** 동굴 · **first** 우선, 맨 먼저, 처음

14 Unit 01

B 다음 대화의 빈칸에 알맞은 말을 쓰세요.

1 **A:** ___What___ is your favorite color?
   B: It is pink.

대답의 밑줄 친 부분을 보면 의문문에 어떤 의문사를 써야 할지 알 수 있어.

2 **A:** _____ did Edison invent?
   B: He invented the light bulb.

3 **A:** _____ do you like better, pizza or hamburgers?
   B: I like hamburgers better.

4 **A:** _____ will you call tomorrow?
   B: I will call Bella.

5 **A:** _____ took this photo?
   B: My dad took it.

5번은 의문사 뒤에 바로 일반동사가 쓰인 걸 보니 의문사가 주어로 쓰인 문장이구나.

6 **A:** _____ is your birthday?
   B: It is February 17th.

7 **A:** _____ is the library?
   B: It's on Sun Street.

8 **A:** _____ should we play badminton?
   B: You should play badminton in the yard.

9 **A:** _____ was the cake?
   B: It was delicious.

10 **A:** _____ does Tommy go to school?
    B: He goes to school on foot.

11 **A:** _____ do you like Ted?
    B: Because he is kind.

12 **A:** _____ was Lily late for school?
    B: Because she missed the bus.

WORDS · **favorite** 매우 좋아하는   · **invent** 발명하다   · **light bulb** 백열전구   · **street** 거리, 도로   · **miss** 놓치다

Grammar Jump!

A 다음 문장의 밑줄 친 부분을 주어진 말로 바꿔 쓸 때, 빈칸에 알맞은 말을 쓰세요.

1 When are <u>you</u> free? (Jimmy)

➡ <u>When</u> <u>is</u> <u>Jimmy</u> free?

2 Where is <u>the festival</u> taking place? (the games)

➡ _____ _____ _____ taking place?

3 How is <u>your grandmother</u> doing? (you)

➡ _____ _____ _____ doing?

4 Why is <u>the boy</u> laughing? (the students)

➡ _____ _____ _____ laughing?

5 Who do <u>you</u> want to meet? (he)

➡ _____ _____ _____ want to meet?

6 How do <u>they</u> go to school? (Kevin)

➡ _____ _____ _____ go to school?

7 What does <u>your father</u> do? (your parents)

➡ _____ _____ _____ _____ do?

8 What does <u>an elephant</u> eat? (elephants)

➡ _____ _____ _____ eat?

9 Where does <u>she</u> live? (you)

➡ _____ _____ _____ live?

10 Why does <u>Mary</u> wear black all the time? (they)

➡ _____ _____ _____ wear black all the time?

11 Which should <u>we</u> order, pizza or hot dogs? (Helen)

➡ _____ _____ _____ order, pizza or hot dogs?

12 Who will <u>you</u> invite? (she)

➡ _____ _____ _____ invite?

> 바꾸려는 주어의 수와 인칭에 맞게 be동사와 do동사를 함께 바꾸는 것을 잊지 마.

> 「How+be동사+주어+doing?」은 안부를 묻는 표현이고, 「What+do동사+주어+do?」는 직업을 묻는 표현이야.

정답 및 해설 3쪽

B 다음 문장의 빈칸에 알맞은 말을 쓰세요. 주어진 말이 있으면 주어진 말을 사용해서 쓰세요.

1   <u>What</u>   <u>are</u>   you looking for?
너는 무엇을 찾고 있니?

2   _____   _____   Thanksgiving Day?
추수 감사절은 언제니?

3   _____   _____   you last night?
너는 어젯밤에 어디에 있었니?

4   _____   _____   you want for dinner?
너는 저녁 식사로 무엇을 원하니?

5   _____   _____   she need the costume?
그녀는 왜 그 의상이 필요하니?

6   _____   _____   your school end?
너희 학교는 언제 끝나니?

7   _____   _____   Sam bake cookies?
샘은 과자를 어떻게 굽니?

8   _____   _____   it rain?
비가 언제 왔니?

9   _____   _____   she learn taekwondo?
그녀는 어디에서 태권도를 배울 수 있니?

10   _____   _____   give me chocolates tomorrow?
누가 내일 내게 초콜릿을 줄까?

11   _____   _____   I find the needle on the beach?
나는 해변에서 바늘을 어떻게 찾을 수 있니?

12   _____   _____   dive deeper, a whale or a dolphin?
고래와 돌고래 중에서 어느 것이 더 깊이 잠수할 수 있니?

13   _____   _____   in the car? (be)
그 차 안에 누가 있니?

14   _____   _____   better, this cap or that cap? (look)
이 모자와 저 모자 중에서 어느 것이 더 좋아 보이니?

15   _____   _____   this photo? (take)
누가 이 사진을 찍었니?

의문사 있는 의문문에서 주어 다음에 「동사원형-ing형」이 오면 현재 진행 시제야. 현재 진행형의 의문사 있는 의문문은 「의문사+be동사+주어+동사원형-ing형 ~?」이니까 주의해.

의문사 뒤의 be동사와 do동사는 주어의 수와 인칭에 맞게 써야 해.

WORDS · **Thanksgiving Day** 추수 감사절 · **costume** 복장, 의상 · **end** 끝나다 · **needle** 바늘 · **dive** 잠수하다

Grammar Fly! . . . .

A 주어진 말을 사용하여 다음 대화를 완성하세요.

1 **A:** ___Who___ ___is___ your best friend? (who, be)
   B: Mike is my best friend.

2 **A:** _____ _____ the movie? (how, be)
   B: It was boring.

3 **A:** _____ _____ you _____ Jack? (why, hate)
   B: Because he is rude.

4 **A:** _____ _____ you _____ to be? (what, want)
   B: I want to be a famous singer.

5 **A:** _____ _____ your mom _____ to work? (how, go)
   B: She goes to work by car.

6 **A:** _____ _____ they _____ a party? (where, have)
   B: They had a party at Jessica's house.

7 **A:** _____ _____ your uncle _____ the photo? (when, take)
   B: He took it ten years ago.

8 **A:** _____ _____ you _____ this weekend? (what, do, will)
   B: I will go to the movies.

9 **A:** _____ _____ we _____ quiet in class? (why, be, should)
   B: Because we should listen carefully to our teacher.

10 **A:** _____ _____ Elsa _____ ? (where, stay, will)
   B: She will stay at the City Hotel.

11 **A:** _____ _____ bigger, an elephant or a bear? (which, be)
   B: An elephant is bigger.

12 **A:** _____ _____ the bathroom? (who, clean)
   B: Dad cleans it.

대답에 쓴 동사를 보면 어떤 시제로 써야 할지, 어떤 (조)동사를 써야 할 지 알 수 있지.

주어로 쓰인 의문사는 3인칭 단수야. 그러니까 현재 시제일 경우엔 동사에 -(e)s 를 붙이는 것 잊지 마.

WORDS · **boring** 재미없는, 지루한 · **hate** 몹시 싫어하다 · **rude** 무례한 · **have a party** 파티를 열다 · **carefully** 주의하여, 신중히

B 주어진 말을 바르게 배열하여 문장을 쓰세요.

1 (is / when / Mother's Day / ?) 어머니의 날은 언제니?
   ➡ _____ When is Mother's Day? _____

2 (upset / you / are / why / ?) 너는 왜 속상하니?
   ➡ _____

3 (you / need / what / do / ?) 너는 무엇이 필요하니?
   ➡ _____

4 (call / he / who / did / yesterday / ?) 그는 어제 누구에게 전화했니?
   ➡ _____

5 (did / you / when / meet / Anna / ?) 너는 언제 애나를 만났니?
   ➡ _____

6 (Louis / where / come from / did / ?) 루이스는 어디에서 왔니?
   ➡ _____

7 (the ring / you / how / find / did / ?) 너는 어떻게 그 반지를 찾았니?
   ➡ _____

8 (will / draw / in the sketchbook / what / you / ?) 너는 그 스케치북에 무엇을 그릴 거니?
   ➡ _____

9 (must / leave now / why / she / ?) 그녀는 왜 지금 떠나야 하니?
   ➡ _____

10 (behind the door / who / is / ?) 누가 문 뒤에 있니?
   ➡ _____

11 (flies higher / an eagle or a hawk / which / , / ?) 독수리와 매 중에서 어느 것이 더 높이 나니?
   ➡ _____

12 (solve / who / this problem / can / ?) 누가 이 문제를 풀 수 있니?
   ➡ _____

WORDS · upset 속상한, 마음이 상한 · come from ~에서 오다 · hawk 매 · solve (문제를) 풀다 · problem 문제

Grammar & Writing

A 정보 활용하기 제니가 지난 일요일에 찍은 사진입니다. 사진을 보고, 친구와 제니의 대화를 완성하세요.

1

(who, meet)
A: ___Who did you meet___ last Sunday?
B: I met my uncle.

2

(where, go)
A: _____?
B: I went to the stadium.

3

(why, go)
A: _____ there?
B: Because there was a baseball game.

4

(what, do)
A: _____ after the game?
B: I went to a pizzeria.

5

(which, order)
A: _____, a cheese pizza or a pepperoni pizza?
B: I ordered a cheese pizza.

6

(how, be)
A: _____ it?
B: It was delicious.

WORDS · **stadium** 경기장   · **pizzeria** 피자 가게   · **pepperoni** 페퍼로니(피자에 올리는 소시지의 일종)

B 〔정보 활용하기〕 다음은 에릭의 학교 게시판에 붙은 학급 행사 광고입니다. 광고를 보고, 주어진 말을 바르게 배열하여 에릭과 수리의 대화를 완성하세요.

1 (is / what / this week's event / ?)
Suri: ____What is this week's event?____
Eric: Cookie Sale.

2 (will / sell cookies / who / ?)
Suri: _____
Eric: Ms. Lee and her students.

3 (will / which / they / sell)
Suri: _____, butter cookies or sugar cookies?
Eric: They will sell sugar cookies.

4 (is / when / the cookie sale / ?)
Suri: _____
Eric: It's from 1 to 3 p.m. on Friday.

5 (will / where / they / sell cookies / ?)
Suri: _____
Eric: At the school cafeteria.

6 (will / why / they / sell cookies / ?)
Suri: _____
Eric: Because they need money for a class library.

WORDS · **sale** 판매 · **sell** 팔다 · **cafeteria** 구내식당 · **class library** 학급 문고 · **event** 행사

UNIT TEST 01

[1-2] 다음 문장의 빈칸에 알맞은 말을 고르세요.

1

> _____ is cheaper, this one or that one? 이것과 저것 중에서 어느 것이 더 싸니?

❶ What ❷ Who ❸ Which ❹ Where ❺ How

2

> _____ are you from? 너는 어디 출신이니?

❶ What ❷ Who ❸ Which ❹ Where ❺ How

[3-4] 다음 문장에서 밑줄 친 우리말을 영어로 바르게 옮긴 것을 고르세요.

3

> 제이미는 무엇을 요리했니 for dinner?

❶ What did Jamie cooks ❷ What does Jamie cook

❸ What Jamie did cook ❹ What is Jamie cook

❺ What did Jamie cook

4

> 누가 풀 수 있니 this problem?

❶ Who solve can ❷ Who can solve ❸ Who did solve

❹ Who solves ❺ Who is solve

5 다음 중 올바른 문장을 고르세요.

❶ Where your dog sleeps? ❷ When your birthday is?

❸ What did you had for lunch? ❹ How did you opened the door?

❺ Which dives deeper, a whale or a dolphin?

[6-7] 다음 중 밑줄 친 부분이 <u>잘못된</u> 문장을 고르세요.

6 ❶ Where <u>does</u> she live?   ❷ Why <u>does</u> he wear a cap?

   ❸ How <u>does</u> you spell your name?   ❹ What <u>does</u> your father do?

   ❺ When <u>does</u> your school begin?

7 ❶ What <u>can I</u> do for you?   ❷ When <u>will they</u> leave?

   ❸ Which <u>do you</u> want, milk or juice?   ❹ Why <u>we must</u> wear school uniforms?

   ❺ How <u>can I</u> find my needle?

[8-9] 다음 의문문에 대한 대답으로 알맞은 말을 고르세요.

8
> How did Mr. White drive?

   ❶ Yes, he was.   ❷ No, he wasn't.   ❸ Last month.

   ❹ Because he was fast.   ❺ Carefully.

9
> Why is she laughing?

   ❶ Yes, she is.   ❷ No, she isn't.

   ❸ She talked to her brother.   ❹ Because she is reading a funny story.

   ❺ She is laughing.

10 다음 중 짝지어진 대화가 <u>어색한</u> 것을 고르세요.

   ❶ **A:** Who gave you the pencils?   **B:** Tony gave them to me.

   ❷ **A:** Where does he have lunch?   **B:** At the cafeteria.

   ❸ **A:** How do you go to school?   **B:** I'm going to school.

   ❹ **A:** What did he invent?   **B:** He invented the light bulb.

   ❺ **A:** Why was she crying?   **B:** Because she watched a sad movie.

[11-12] 다음 우리말을 영어로 바르게 옮긴 것을 고르세요.

11

> 너는 그 가방을 어디에서 샀니?

❶ Where you bought the bag?　　❷ Where did you bought the bag?

❸ Where do you buy the bag?　　❹ Where did you buy the bag?

❺ Where bought you the bag?

12

> 그녀가 언제 도착할까?

❶ When she will arrive?　　❷ When will she arrive?

❸ When will she arrives?　　❹ When is she arrive?

❺ When she arrives?

[13-14] 다음 문장의 빈칸에 들어갈 말이 순서대로 바르게 짝지어진 것을 고르세요.

13

> • _____ was the party? 그 파티는 어땠니?
>
> • _____ did he invite? 그는 누구를 초대했니?

❶ Who - How　　❷ Who - Why　　❸ How - Who

❹ What - Who　　❺ How - What

14

> • _____ is your favorite color? 네가 특히 좋아하는 색은 무엇이니?
>
> • _____ do you like better, green or red? 초록색과 빨간색 중에서 너는 어느 것을 더 좋아하니?

❶ How - What　　❷ Where - Which　　❸ What - Who

❹ What - Which　　❺ When - Who

[15-17] 다음 대화의 빈칸에 알맞은 말을 고르세요.

15

> **A:** Which is bigger, an eagle (or / and) a hawk?
> **B:** An eagle is bigger.

16

> **A:** Why was he late for school?
> **B:** (And / Because) he missed the bus.

17

> **A:** (What / Who) does Mr. Davis teach?
> **B:** He teaches English.

[18-20] 다음 우리말 뜻과 같도록 주어진 말을 사용하여 문장을 완성하세요.

18 우리 언제 만날까? (meet)

➡ _____ shall _____ _____?

19 이 모자와 저 모자 중에서 어느 것이 더 좋아 보이니? (look)

➡ _____ _____ better, this cap or that cap?

20 그녀는 누구를 가장 좋아하니? (like)

➡ Who _____ _____ _____ the most?

정답 및 해설 4~5쪽

[21 – 25] 주어진 말을 바르게 배열하여 문장을 쓰세요.

21 (can / I / how / find / the needle / ?)

➡ _____

나는 어떻게 바늘을 찾을 수 있니?

22 (he / did / take / when / this photo / ?)

➡ _____

그는 이 사진을 언제 찍었니?

23 (Chris / why / angry / was / this morning / ?)

➡ _____

크리스는 오늘 아침에 왜 화가 났니?

24 (where / the game / did / take place / ?)

➡ _____

그 경기는 어디에서 열렸니?

25 (what / you / will / do / after school / ?)

➡ _____

너는 방과 후에 무엇을 할 거니?

WRAP UP

1 의문사 what, which, who

❶ what 은 '무엇', ¹[＿＿＿＿]는 '어느 것', ²[＿＿＿＿]는 '누구'를 묻는 의문사이다.

❷ be동사가 쓰인 문장은 「의문사+be동사+주어 ~?」로 쓴다.

❸ 일반동사나 조동사가 쓰인 문장은 「의문사+do동사/조동사+주어+³[＿＿＿＿] ~?」으로 쓴다.

❹ 의문사가 주어로 쓰인 문장은 「의문사+동사 ~?」로 쓴다. 이때 의문사는 3인칭 단수이다.

2 의문사 when, where, why, how

❶ ¹[＿＿＿＿]은 언제, where는 어디, why는 이유, ²[＿＿＿＿]는 상태나 방법을 묻는 의문사이다.

❷ be동사가 쓰인 문장은 「의문사+be동사+주어 ~?」로 쓴다.

❸ 일반동사나 조동사가 쓰인 문장은 「의문사+do동사/조동사+³[＿＿＿＿]+동사원형 ~?」으로 쓴다.

Check Up 그림을 보고, 알맞은 말을 찾아 다음 대화의 빈칸에 쓰세요.

where   what   how   which

의문사 있는 의문문 (2)

할아버지 생신 선물로 옷을
사기로 한 연아.
할아버지의 취향과 체격에
맞춰 잘 살 수 있을까?

What color does
he like?

시경이가 what color로
할아버지께서 '무슨 색'을
좋아하시는지 묻는다.

What size does he wear?

what size로 '무슨 사이즈'를
입으시는지도 확인하는 꼼꼼한 시경이.

what에 color나 size 같은
명사를 붙이니 구체적인 것을
콕 집어 물어볼 수 있구나.

연아가 할아버지 사진을 보여 줬다.
키가 작아 보이시는 할아버지,
키가 얼마나 되실까?

How tall is he?

키가 얼마나 크시니?

how tall처럼 how 뒤에
형용사나 부사를 붙이면 키, 길이,
높이, 무게, 거리, 나이 등을
물을 수도 있다고.

How much is it?

how much로
가격도 물을 수 있다.
어때, 연아야?
나도 시경이 못지않지?

01 what/which/whose+명사

what, which, whose는 명사 앞에서 명사를 꾸며 주기도 합니다.

A what+명사

'어떤 ~', '무슨 ~'의 뜻으로, what이 뒤에 나오는 명사를 꾸며 줍니다.

What size do you wear? 너는 무슨 사이즈를 입니?

What color are your eyes? 네 눈은 무슨 색이니?

I wear <u>a medium</u>. 나는 중간 사이즈를 입는다.

They are <u>brown</u>. 갈색이다.

B which+명사

'어느 ~'라는 뜻으로, 제한된 범위 안에서 어느 것을 선택할지 물을 때 사용합니다.

Which subject do you like more, math **or** art?
너는 수학과 미술 중에서 어느 과목을 더 좋아하니?

I like art more.
나는 미술을 더 좋아한다.

Which team will win the game?
어느 팀이 그 경기에서 이길까?

<u>The Spanish team</u> will win.
스페인 팀이 이길 것이다.

C whose+명사

'누구의 ~'라는 뜻으로, 뒤에 나오는 명사가 누구의 것인지 물을 때 사용합니다.

Whose bag is this? 이것은 누구의 가방이니?

Whose cell phone is ringing?
누구의 휴대 전화가 울리고 있니?

It is <u>mine</u>. 그것은 내 것이다.

Mr. Burk's is ringing.
버크 씨의 것이 울리고 있다.

💡 whose는 '누구의 것'이라는 뜻으로 뒤에 명사가 오지 않고 홀로 쓰이기도 합니다.

Whose bag is this? = **Whose** is this bag? 이 가방은 누구의 것이니?

Grammar Walk

정답 및 해설 6쪽

A 다음 문장의 괄호 안에서 알맞은 말을 골라 동그라미 하세요.

1 (Which / (What)) day is it today? 오늘은 무슨 요일이니?

2 (What / Which) time will the train arrive? 기차가 몇 시에 도착할까?

3 (What / Which) girl is nicer, Jane or Elizabeth?
   제인과 엘리자베스 중에서 어느 여자아이가 더 상냥하니?

4 (Which / Who) computer is faster, this one or that one?
   이것과 저것 중에서 어느 컴퓨터가 더 빠르니?

> 제한된 범위 안에서 '어느 것'을 '선택'할지 물을 때 which를 써. 예를 들면, 버스가 두 대 있는데 그것들 중 어느 버스가 공원에 가는지 묻는다면 Which bus goes to the park?라고 하면 되지.

5 (What / Which) club did you join, art or soccer?
   너는 미술과 축구 중에서 어느 동아리에 들었니?

6 (Who / Whose) birthday is it today? 오늘은 누구의 생일이니?

7 (Whose / Who) picture is this? 이것은 누구의 그림이니?

8 (Whose / Who) notebook did you borrow? 너는 누구의 공책을 빌렸니?

B 다음 문장에서 주어진 말이 들어갈 위치로 알맞은 곳에 동그라미 하세요.

1 What ❶ does ❷ your mom ❸ wear? (size)

2 What ❶ is ❷ it ❸ now? (time)

3 Which ❶ do ❷ you ❸ like? (season)

4 Which ❶ will ❷ win ❸ the game? (team)

5 Whose ❶ is ❷ your ❸ favorite? (story)

WORDS · **day** 날, 요일 · **borrow** 빌리다 · **season** 계절 · **favorite** (특히) 좋아하는 것

02 how+형용사/부사

how는 형용사나 부사 앞에서 뒤에 나온 형용사나 부사의 정도를 물을 때 쓰기도 합니다.

A how+형용사/부사

「how+형용사/부사」는 '얼마나 ~한/하게'라는 뜻입니다.

how much	how old	how tall	how long
(양/가격이) 얼마	몇 살	(키가) 얼마/몇	(길이가) 얼마나 긴
how long	how heavy	how far	how often
(기간이) 얼마나 오래	(무게가) 얼마나 무거운	(거리가) 얼마나 먼	얼마나 자주

How old are you?
너는 몇 살이니?

I am thirteen years old.
나는 열세 살이다.

How long can they stay here?
그들은 여기에 얼마나 오래 머무를 수 있니?

They can stay for a week.
그들은 일주일 동안 머무를 수 있다.

How often does she go to the library?
그녀는 얼마나 자주 도서관에 가니?

She goes there twice a week.
그녀는 일주일에 두 번 거기에 간다.

B how many/much+명사

「how many+셀 수 있는 명사(복수)」는 셀 수 있는 명사의 수를 물을 때 쓰며,
「how much+셀 수 없는 명사(단수)」는 셀 수 없는 명사의 양을 물을 때 씁니다.

How many children does he have?
그는 아이들이 몇 명 있니?

He has two children.
그는 아이들이 두 명 있다.

How much milk does Joe drink a day?
조는 하루에 우유를 얼마나 많이 마시니?

He drinks three glasses of milk.
그는 우유를 세 컵 마신다.

Grammar Walk

정답 및 해설 6쪽

A 다음 대화의 괄호 안에서 알맞은 말을 골라 동그라미 하세요.

1 A: How ((old) / tall) is your brother? **B:** Ten years old.

2 A: How (much / high) is the mountain? **B:** Over 8,000 meters.

3 A: How (heavy / cute) is the turkey? **B:** About 4 kilograms.

4 A: How (often / long) do you go to the movies? **B:** Once a month.

5 A: How (many / much) bananas did you buy? **B:** Five.

6 A: How many (brother / brothers) do you have? **B:** I have only one brother.

7 A: How (many / much) flour did she use? **B:** Two cups of flour.

8 A: How much (bread / breads) do you want? **B:** I want two loaves of bread.

B 다음 문장에서 주어진 말이 들어갈 위치로 알맞은 곳에 동그라미 하세요.

1 How ❶ does ❷ he take a shower? (often)

2 How ❶ much ❷ is in the glass? (water)

3 How ❶ salt ❷ do we have now? (much)

4 How ❶ many ❷ do you have? (friends)

5 How ❶ teeth ❷ does a dog have? (many)

> 물건의 양이나 개수가 궁금할 때는 how much나 how many 뒤에 명사를 써서 물어볼 수 있어.

Grammar Run! ....

A 다음 문장의 빈칸에 알맞은 말을 골라 동그라미 하세요.

1 _____ subjects do you study at school? ❶ Whose ②What

2 What _____ shall we meet? ❶ day ❷ fast

3 _____ bus stops here, No.4 or No.7? ❶ Which ❷ How

4 Which _____ is yours? ❶ bag ❷ big

5 _____ gloves are these? ❶ Who ❷ Whose

6 Whose _____ is better? ❶ idea ❷ really

7 _____ often should I feed the cat? ❶ What ❷ How

8 _____ much is the bike? ❶ What ❷ How

9 How _____ did he stay there? ❶ many ❷ long

10 How _____ is the tower? ❶ high ❷ hill

11 How _____ sugar do you need? ❶ much ❷ many

12 How much _____ do you have? ❶ milk ❷ sandwiches

13 How much _____ is in the box? ❶ sand ❷ cookies

14 How many _____ does he have? ❶ child ❷ children

15 How many _____ did you eat? ❶ orange ❷ oranges

WORDS · **subject** 학과, 과목 · **stop** 멈추다, 정지하다 · **idea** 생각 · **tower** 탑 · **sandwich** 샌드위치

정답 및 해설 6~7쪽

B 다음 의문문에 대한 대답으로 알맞은 말을 골라 동그라미 하세요.

1 What time does your school start?
❶ It starts at 8 a.m.   ❷ It takes 8 hours.

whose 의문문에는 「소유격+명사」 또는 '소유대명사'로 대답해.

2 What sports do you play?
❶ I play the sport every day.   ❷ I play tennis.

3 Which animal lives longer, a turtle or a camel?
❶ I like a turtle better.   ❷ A turtle lives longer.

4 Whose gym clothes are these?
❶ She is Dora.   ❷ They are Dora's.

5 Whose answer is correct?
❶ Ann answered.   ❷ Ann's answer is correct.

6 How old is he?
❶ He is twelve years old.   ❷ He is not old.

7 How heavy is the cat?
❶ It weighs about 5 kilograms.   ❷ It is about 15 centimeters.

8 How long is your hair?
❶ It weighs 20 grams.   ❷ It is 25 centimeters.

9 How much water do you drink a day?
❶ I drink three glasses of water.   ❷ I like water very much.

10 How much sugar do you put in your tea?
❶ It is very sweet.   ❷ I put one spoon of sugar.

11 How many apples did she buy?
❶ She ate lots of apples.   ❷ She bought three apples.

12 How many friends do you have?
❶ I have five friends.   ❷ They are eleven years old.

 · **camel** 낙타   · **gym clothes** 체육복   · **correct** 맞는, 정확한   · **weigh** 무게가 ~이다

Grammar Jump!

A 다음 대화의 빈칸에 알맞은 말을 쓰세요.

1 **A:** ___What___ colors does she like?
   B: She likes yellow.

의문문 끝에 「A or B」가 있으면 선택을 묻는 which 가 쓰여.

2 **A:** _____ subject does Mr. Harris teach?
   B: He teaches math.

3 **A:** _____ bus should I take, the red one or the green one?
   B: You should take the red one.

4 **A:** _____ animal is smarter, an elephant or a horse?
   B: An elephant is smarter.

5 **A:** _____ camera did you borrow?
   B: I borrowed Mark's.

'한 시간'이라는 뜻의 hour는 셀 수 있는 명사야. 그래서 how many 뒤에는 hour의 복수형을 써야 해.

6 **A:** _____ cat is missing?
   B: Hannah's cat is missing.

7 **A:** _____ idea did they choose?
   B: They chose my idea.

8 **A:** _____ far is the subway station from here?
   B: It is 20 meters away.

9 **A:** _____ _____ cookies did Mom bake?
   B: She baked two dozen.

반면 '시간'이라는 뜻의 time은 셀 수 없는 명사라서 앞에 much를 써.

10 **A:** _____ _____ hours did he study?
    B: Two hours.

11 **A:** _____ _____ time do we have?
    B: One hour.

12 **A:** _____ _____ flour do you need?
    B: I need two cups of flour.

WORDS · **missing** 없어진, 실종된   · **choose** 선택하다   · **away** 떨어져, 떨어진 곳에   · **dozen** 12개짜리 한 묶음

B 다음 중 알맞은 말을 찾아 문장의 빈칸에 쓰세요. 중복해서 쓸 수 있어요.

| which | what | whose | how | much | many |
| shall | did | whose | does | is | are | can |

1 __What__ size __is__ this shirt?
이 셔츠는 무슨 사이즈니?

2 _____ story _____ more interesting, "Snow White" or "Pinocchio"?
「백설 공주」와 「피노키오」중에서 어느 이야기가 더 흥미롭니?

3 _____ phone _____ this?
이것은 누구의 전화기니?

4 _____ far _____ the beach from here?
그 해변은 여기에서 얼마나 머니?

> 의문사 의문문에서 be동사는 뒤에 나오는 주어에 따라 변해.

5 _____ shoes _____ those?
저것은 누구의 신발이니?

6 _____ flowers _____ she like?
그녀는 무슨 꽃을 좋아하니?

7 _____ fast _____ a cheetah run?
치타는 얼마나 빨리 달리니?

8 _____ musical _____ she like more, *Les Misérables* or *The Lion King*?
그녀는 「레 미제라블」과 「라이언 킹」중에서 어느 뮤지컬을 더 좋아하니?

9 _____ long _____ you stay here?
너는 얼마나 오래 여기에 머무를 수 있니?

> 의문문에 일반동사가 있을 때 do를 쓸지 does를 쓸지는 뒤에 나오는 주어를 잘 살펴야 해.

10 _____ tall _____ this tree grow?
이 나무는 얼마나 높이 자랄 수 있니?

11 _____ day _____ we practice soccer?
우리 무슨 요일에 축구 연습을 할까?

12 _____ water _____ the plant need a day?
그 식물은 하루에 물이 얼마나 많이 필요하니?

13 _____ dishes _____ Charlie break?
찰리는 접시를 몇 개 깨뜨렸니?

WORDS · **cheetah** 치타 · **musical** 뮤지컬 · **grow** (사람·동물 등이) 자라다, 크다 · **practice** 연습하다 · **break** 깨뜨리다

Grammar Fly! . . . .

A 다음 밑줄 친 부분을 바르게 고쳐 의문문을 다시 쓰세요.

1 **A:** <u>Which</u> day is it today?　　　　　　　　　　　**B:** It's Tuesday.
　➡　　What day is it today?

2 **A:** <u>Whose</u> story are you reading?　　　　　　　　**B:** I'm reading "Cinderella."
　➡

3 **A:** <u>What</u> cap is better, the black one or the white one?　**B:** The black one is better.
　➡

4 **A:** <u>How</u> girl is Laura, the tall girl or the short girl?　**B:** The tall girl is Laura.
　➡

5 **A:** <u>Who</u> birthday is it today?　　　　　　　　　　**B:** Grandpa's birthday.
　➡

6 **A:** <u>Who</u> umbrella did you take?　　　　　　　　　**B:** I took Mom's umbrella.
　➡

7 **A:** How many <u>stamp</u> did Michelle collect?　　　　**B:** She collected 100 stamps.
　➡

8 **A:** How <u>much</u> chairs do the students need?　　　　**B:** They need 3 chairs.
　➡

9 **A:** How <u>many</u> money did he save?　　　　　　　　**B:** Fifteen dollars.
　➡

10 **A:** How much <u>teas</u> did you drink?　　　　　　　**B:** Two cups of tea.
　➡

11 **A:** How <u>tall</u> is the tree?　　　　　　　　　　　　**B:** It is 200 years old.
　➡

12 **A:** <u>What</u> often do you exercise?　　　　　　　　　**B:** Twice a week.
　➡

WORDS　· **take** 가져가다　· **stamp** 우표　· **collect** 수집하다　· **save** 모으다, 저축하다　· **twice** 두 번

38 Unit 02

B 주어진 말을 바르게 배열하여 문장을 쓰세요.

1 (what color / he / does / wear often / ?) 그는 무슨 색을 자주 입니?

➡ What color does he wear often?

2 (do / what nicknames / have / you / ?) 너는 어떤 별명들을 가지고 있니?

➡ _____

3 (yours / is / this one or that one / which bike / , / ?) 이것과 저것 중에서 어느 자전거가 네 것이니?

➡ _____

4 (correct / whose answer / is / ?) 누구의 대답이 맞니?

➡ _____

5 (can / I / whose gym clothes / borrow / ?) 나는 누구의 체육복을 빌릴 수 있니?

➡ _____

6 (how long / the snake / is / ?) 그 뱀은 길이가 얼마나 기니?

➡ _____

7 (jump / a kangaroo / can / how high / ?) 캥거루는 얼마나 높이 점프할 수 있니?

➡ _____

8 (feed the dog / Melanie / does / how often / ?) 멜러니는 그 개에게 얼마나 자주 먹이를 주니?

➡ _____

9 (she / did / put / how much sugar / ?) 그녀는 설탕을 얼마나 많이 넣었니?

➡ _____

10 (should / drink a day / how much water / I / ?) 나는 하루에 물을 얼마나 많이 마시는 것이 좋겠니?

➡ _____

11 (catch / how many butterflies / Paul / did / ?) 폴은 나비를 얼마나 많이 잡았니?

➡ _____

12 (he / buy / how many books / did / ?) 그는 책을 몇 권 샀니?

➡ _____

WORDS ·**nickname** 별명   ·**feed** 먹이를 주다   ·**catch** 잡다[받다]   ·**butterfly** 나비

Grammar & Writing

A 　정보 활용하기　민수가 피자 가게에 왔습니다. 그림을 보고, 다음 중 알맞은 말을 찾아 민수와 점원의 대화를 완성하세요. 중복해서 사용할 수 있어요.

which	how	many	much	long

1

Clerk: ___Which___ pizza do you want, cheese or pepperoni?
Minsu: I want a cheese pizza.

2

Clerk: _____ _____ pieces do you want?
Minsu: Two pieces, please.

3

Clerk: _____ drink do you want, cola or juice?
Minsu: I want a glass of cola.

4

Minsu: _____ _____ is it?
Clerk: It's five dollars.

5

Minsu: _____ _____ must I wait?
Clerk: About five minutes.

B 정보 활용하기 소라네 반에서 여행하고 싶은 도시에 대해 투표한 후, 가장 많은 표를 받은 세 도시의 정보를 정리하였습니다. 그림을 보고, 알맞은 말을 찾아 대화를 완성하세요. 중복해서 사용할 수 있어요.

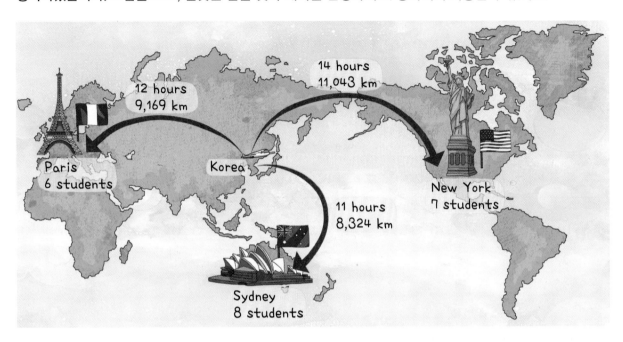

how	what	which	long	far	many

1 **A:** ___What___ cities do the students want to visit?
B: They want to visit Paris, Sydney, and New York.

2 **A:** _____ _____ students voted for Paris?
B: 6 students voted for Paris.

3 **A:** _____ city is closer to Korea, New York or Sydney?
B: Sydney is closer.

4 **A:** _____ _____ is New York from Korea?
B: It is 11,043 kilometers away from Korea.

5 **A:** _____ _____ does it take to Sydney by airplane?
B: It takes 11 hours.

WORDS · **vote for** ~에 투표하다 · **close** 가까운 · **take** (얼마의 시간이) 걸리다

UNIT TEST 02

[1-2] 다음 문장에서 밑줄 친 우리말을 영어로 바르게 옮긴 것을 고르세요.

1

> <u>얼마나 많은</u> friends came to the party?

❶ How tall   ❷ How old   ❸ How many   ❹ How much   ❺ How heavy

2

> <u>얼마나 먼</u> is your school from here?

❶ What far   ❷ Who far   ❸ Which far   ❹ Whose far   ❺ How far

3 다음 중 올바른 문장을 고르세요.

❶ Who answer is correct?

❷ What computer is faster, this one or that one?

❸ How long is the snake?

❹ How books many did you read last month?

❺ How much strawberries did you eat?

[4-5] 다음 중 밑줄 친 부분이 <u>잘못된</u> 문장을 고르세요.

4 ❶ <u>What day</u> is it today?   ❷ <u>What colors</u> do you like?

❸ <u>What city</u> do you want to visit?   ❹ <u>What often</u> does she go to the movies?

❺ <u>What size</u> does he wear?

5 ❶ <u>How long</u> can they wait?   ❷ <u>How much</u> apples did you pick?

❸ <u>How many</u> teeth does a dog have?   ❹ <u>How much</u> is this book?

❺ <u>How tall</u> are you?

[6-7] 다음 문장의 빈칸에 들어갈 수 <u>없는</u> 말을 고르세요.

6

> Which _____ is yours, this one or that one?

❶ cap   ❷ umbrella   ❸ much   ❹ room   ❺ bike

7

> How much _____ do you need?

❶ time   ❷ crayons   ❸ flour   ❹ sugar   ❺ water

[8-9] 다음 의문문에 대한 대답으로 알맞은 것을 고르세요.

8

> Whose gym clothes can I borrow?

❶ You can use my.   ❷ You can use mine.   ❸ You can use him.

❹ Yes, you can.   ❺ No, you can't.

9

> How tall are you?

❶ No, I'm not.   ❷ I'm short.   ❸ I'm very thin.

❹ I'm 40 kilograms.   ❺ I'm 155 centimeters tall.

10 다음 중 짝지어진 대화가 <u>어색한</u> 것을 고르세요.

❶ A: Which girl is your cousin?   B: That tall girl is my cousin.

❷ A: What size do you wear?   B: I wear a small.

❸ A: How many sisters does he have?   B: He has two sisters.

❹ A: How long will you stay there?   B: We will stay for a week.

❺ A: How much is the ticket?   B: I want three tickets.

UNIT TEST 02

[11-12] 다음 우리말을 영어로 바르게 옮긴 것을 고르세요.

11

> 너는 어떤 별명들을 가지고 있니?

❶ What is a nickname?　　　　❷ What are nicknames?

❸ What names do you have?　　❹ What nicknames do you have?

❺ What nickname is your favorite?

12

> 그는 돈을 얼마나 많이 모았니?

❶ How many money did he save?　❷ How did he save money?

❸ How much money he save?　　❹ What money did he save?

❺ How much money did he save?

[13-14] 다음 문장의 빈칸에 들어갈 말이 순서대로 바르게 짝지어진 것을 고르세요.

13

> • _____ chair is more comfortable, this one or that one?
> 이것과 저것 중에서 어느 의자가 더 편안하니?
> • _____ is the chair? 그 의자는 얼마니?

❶ Whose – What　　❷ Whose – Which　　❸ Which – What

❹ Which – How much　❺ How – Which

14

> • How _____ milk do you drink a day? 너는 하루에 우유를 얼마나 많이 마시니?
> • How _____ kites did you make? 너는 연을 몇 개 만들었니?

❶ many – many　　❷ much – much　　❸ many – much

❹ much – many　　❺ hot – often

[15 - 17] 괄호 안에서 알맞은 말을 골라 다음 대화를 완성하세요.

15

A: How (heavy / many) is the cat?

B: It weighs about 3 kilograms.

16

A: How (far / long) is New York from Korea?

B: It is 11,043 kilometers away from Korea.

17

A: How (much / often) do you feed the cat a day?

B: I feed it twice a day.

[18 - 20] 다음 문장의 밑줄 친 부분을 바르게 고쳐 문장을 완성하세요.

18

<u>Who</u> birthday is it today?

➡ _____ birthday is it today?

19

<u>How much</u> cows does he have?

➡ _____ _____ cows does he have?

20

<u>Which much</u> butter does Michael need?

➡ _____ _____ butter does Michael need?

[21 – 25] 다음 우리말 뜻과 같도록 주어진 말을 사용하여 문장을 완성하세요.

21 코끼리와 낙타 중에서 어느 동물이 더 오래 사니? (live longer)

➡ Which animal _____ _____, an elephant _____ a camel?

22 이것은 누구의 사진이니? (photo)

➡ _____ _____ is this?

23 치타는 얼마나 빨리 달리니? (fast)

➡ _____ _____ _____ a cheetah run?

24 네 남동생은 키가 얼마나 크니? (tall)

➡ _____ _____ _____ your brother?

25 그는 빵을 얼마나 많이 먹었니? (bread)

➡ _____ _____ _____ did he have?

WRAP UP

1 what/which/whose+명사

❶ 「what+¹[＿＿＿＿＿]」는 '무슨 ~', '어떤 ~'이라는 뜻이다.

❷ '어느 ~'라는 뜻으로, 제한된 범위 안에서 어느 것을 선택할지 물을 때 「²[＿＿＿＿＿]+명사」를 쓴다.

❸ '누구의 ~'라는 뜻으로 명사가 누구의 것인지 물을 때 「³[＿＿＿＿＿]+명사」를 쓴다.

2 how+형용사/부사

¹[＿＿＿] ²[＿＿＿]	how old	how tall	how long
얼마나 많은, (가격이) 얼마	³[＿＿＿＿＿]	(키가) 몇, 얼마	(길이가) 얼마나 긴

how long	how heavy	how far	⁵[＿＿＿] ⁶[＿＿＿]
(기간이) 얼마나 오래	⁴[＿＿＿＿＿]	얼마나 먼/멀리	얼마나 자주

• 「how many+셀 수 있는 명사(복수)」는 개수를, 「how much+셀 수 없는 명사」는 양을 묻는 표현이다.

Check Up 그림을 보고, 알맞은 말을 찾아 다음 대화의 빈칸에 쓰세요.

many   which   how

REVIEW TEST 01

[1-3] 다음 대화의 빈칸에 알맞은 말을 고르세요.

1

A: _____ are my gloves?
B: They are on the table.

❶ What   ❷ Who   ❸ Which   ❹ Where   ❺ How

2

A: _____ ice cream do you want, strawberry or chocolate?
B: I want strawberry ice cream.

❶ What   ❷ Who   ❸ Which   ❹ Where   ❺ How

3

A: _____ sugar do you need?
B: I need two spoons of sugar.

❶ How   ❷ How many   ❸ How much
❹ How far   ❺ How often

[4-5] 다음 문장의 빈칸에 들어갈 수 <u>없는</u> 말을 고르세요.

4

How _____ is the chicken?

❶ old   ❷ tall   ❸ heavy   ❹ much   ❺ color

5

How many _____ did you buy?

❶ eggs   ❷ bananas   ❸ books   ❹ milk   ❺ sandwiches

[6–7] 다음 문장의 빈칸에 들어갈 말이 순서대로 바르게 짝지어진 것을 고르세요.

6

> • _____ bike is this?
> • _____ washed the dishes?

❶ Who – Who   ❷ Who – Whose   ❸ Whose – Who

❹ Whose – Whose   ❺ When – Who

7

> • _____ pencils do you have?
> • _____ salt should I put in the soup?

❶ How many – How many   ❷ How much – How much

❸ How many – How much   ❹ How much – How many

❺ How long – How often

8 다음 중 밑줄 친 부분이 잘못된 문장을 고르세요.

❶ Who will <u>you call</u> tomorrow?   ❷ What <u>can I do</u> for you?

❸ Where <u>will you travel</u> this summer?   ❹ Why <u>I should study</u> English?

❺ How <u>can I get</u> good grades?

[9–10] 다음 의문문에 대한 대답으로 알맞은 것을 고르세요.

9

> Whose room is this?

❶ It's me.   ❷ It's mine.   ❸ It's her.   ❹ It's you.   ❺ It's my sister.

10

> Why do you like Amy?

❶ No, I don't.   ❷ Yes, she does.   ❸ She loves pink.

❹ She is twelve years old.   ❺ Because she is very kind.

11 다음 중 짝지어진 대화가 <u>어색한</u> 것을 고르세요.

❶ **A:** What color is your dress?　　　　　　**B:** It is white.

❷ **A:** Where are you from?　　　　　　　　**B:** I'm from Seoul, Korea.

❸ **A:** How was your school today?　　　　　**B:** It was great.

❹ **A:** How often do you exercise?　　　　　**B:** I exercise after dinner.

❺ **A:** Which bag looks better, this one or that one?　**B:** That one looks much better.

[12-13] 다음 대화의 빈칸에 알맞은 것을 고르세요.

12

> **A:** _____
>
> **B:** I like math.

❶ What subjects do you like?　　　　❷ What day is your math class?

❸ What time do you get up?　　　　❹ Who teaches math?

❺ Which subject is more difficult, math or science?

13

> **A:** _____ in Paris?
>
> **B:** He stayed for a week.

❶ How much money did Nick save　　❷ How often did Nick call you

❸ How many friends did Nick have　　❹ How far did Nick travel

❺ How long did Nick stay

[14-15] 다음 우리말 뜻과 같도록 괄호 안에서 알맞은 말을 고르세요.

14

> 그 버스는 언제 도착했니?

➡ (When did the bus / When the bus did) arrive?

15

도서관까지 얼마나 오래 걸리니?

➡ (How far is / How long does) it take to the library?

16 다음 문장의 밑줄 친 부분을 바르게 고쳐 의문문을 다시 쓰세요.

A: How many friend do you have?
B: I have seven friends.

➡ _____

[17 – 18] 다음 우리말 뜻과 같도록 주어진 말을 사용하여 문장을 완성하세요.

17 이것은 누구의 모자니? (be)

➡ _____ cap _____ this?

18 그는 왜 울었니? (cry)

➡ _____ did he _____ ?

[19 – 20] 주어진 말을 바르게 배열하여 문장을 쓰세요.

19 (drink / juice / did / you / how much / ?)

➡ _____

너는 주스를 얼마나 많이 마셨니?

20 (you / like / what colors / do / ?)

➡ _____

너는 무슨 색을 좋아하니?

현재 완료 시제 (1)

> He **has played** the piano since the third grade.

시경이가 멋지게 피아노를 칠 수 있는 건, 3학년 때부터 피아노를 계속 쳐 왔기 때문이다.

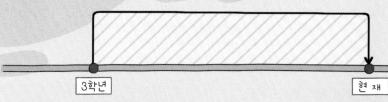

3학년	현재
He started to play the piano.	He plays the piano.

이렇게 과거에 한 일이 현재와 관련이 있을 때는 「have/has+과거분사」, 즉 현재 완료를 사용한다.

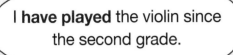

I **have played** the violin since the second grade.

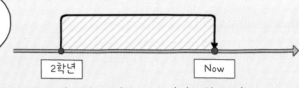

2학년   Now

I started to play the violin.   I play the violin.

민지는 2학년 때 바이올린을 시작해서 현재도 바이올린을 켠다.
이때 have는 '가지다'라는 뜻이 아니라 과거분사와 함께
과거와 현재를 이어 주는 도우미 역할을 한다!

I **have played** the piano since the fourth grade.

아, 시경이가 피아노를 친 건
4학년 때부터구나.
시경이에 대해 아직 갈 길이 멀다.
우린 과거부터 지금까지 죽
친구지만 말이다.

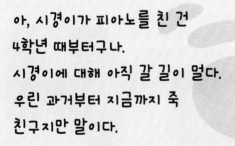

01 현재 완료 시제의 의미와 형태

어떤 일이 과거와 현재에 걸쳐 있거나 과거의 일을 현재와 관련시켜 표현할 때 현재 완료 시제를 씁니다.

A 현재 완료 시제

「have/has+과거분사」의 형태로 어떤 상태나 일이 과거에 시작하여 현재까지 일어나거나
영향을 미치고 있음을 나타낼 때 씁니다.

[과거]   He **wore** glasses two years ago.   그는 2년 전에 안경을 썼다.
        ⇨ 2년 전에는 안경을 썼는데 현재는 어떤지 모른다.

[현재]   He **wears** glasses now.   그는 지금 안경을 쓴다.
        ⇨ 현재는 안경을 쓰는데 과거에는 어땠는지 모른다.

[현재 완료] He **has worn** glasses for two years.   그는 2년 동안 안경을 써 왔다.
        ⇨ 2년 전(과거)부터 지금(현재)까지 안경을 쓰고 있다.

I **have met** two movie stars so far.   나는 지금까지 영화배우 두 명을 만났다.

B 동사의 과거분사형

현재 완료 시제에서 have/has 뒤에는 과거분사를 씁니다.
과거형과 마찬가지로 주로 동사원형에 -ed, 또는 -d를 붙여 만듭니다.

원형	과거형	과거분사형	원형	과거형	과거분사형
walk	walk**ed**	walk**ed**	live	live**d**	live**d**
carry	carr**ied**	carr**ied**	stop	stop**ped**	stop**ped**

💡 불규칙하게 변하는 과거분사형도 있습니다. 〈192쪽 참고〉

cut - cut - cut   run - ran - run   have - had - had   do - did - done

hurt - hurt - hurt   come - came - come   make - made - made   go - went - gone

Grammar Walk

A 다음 문장에서 「have/has+과거분사」를 찾아 동그라미 하세요.

1 I (have washed) the car.
나는 그 차를 세차했다.

2 It has snowed a lot.
눈이 많이 내렸다.

3 We have seen bats.
우리는 박쥐를 본 적이 있다.

4 Kate has eaten Korean food.
케이트는 한국 음식을 먹어 본 적이 있다.

5 You have learned English for four years.
너는 4년 동안 영어를 배워 왔다.

6 Mr. Nelson has taught us for three months.
넬슨 선생님은 석 달 동안 우리를 가르쳐 오셨다.

7 She has cooked dinner.
그녀는 저녁 식사를 요리했다.

8 He has opened the window.
그는 창문을 열었다.

I have washed the car.에서 have washed를 보면 I가 세차를 해서 지금은 그 차가 깨끗한 상태라는 것을 알 수 있어.

he, she, it 같은 3인칭 단수가 주어일 때는 has를 쓰는구나.

B 다음 동사의 알맞은 과거분사형을 골라 동그라미 하세요.

1 stop (stoped / (stopped))   **2** study (studyed / studied)

3 talk (talk / talked)   **4** arrive (arrived / arrivd)

5 carry (carried / carryed)   **6** stay (stayed / staied)

7 leave (leaved / left)   **8** am (been / was)

9 feed (fed / feeded)   **10** write (wrote / written)

11 make (maked / made)   **12** know (known / knew)

 WORDS · **snow** 눈이 오다   · **bat** 박쥐   · **carry** 운반하다, 옮기다

02 현재 완료 시제의 부정문과 의문문

현재 완료 시제의 부정문과 의문문은 have 또는 has를 사용해서 만듭니다.

A 현재 완료 시제의 부정문

부정문은 have나 has 뒤에 not을 써서 「have/has not+과거분사」로 씁니다.
have not은 haven't로, has not은 hasn't로 줄여 쓸 수 있습니다.

I **have not seen** a whale. 나는 고래를 본 적이 없다.

It **has not rained** for two months. 두 달 동안 비가 내리지 않는다.

You **haven't(=have not) been** late. 너는 늦은 적이 없다.

She **hasn't(=has not) come** home yet. 그녀는 아직 집에 오지 않았다.

B 현재 완료 시제의 의문문과 대답

의문문은 have 또는 has를 주어 앞으로 보내어 「Have/Has+주어+과거분사 ~?」로 씁니다.
대답은 긍정일 때는 「Yes, 주어(대명사)+have/has.」로 하고, 부정일 때는 「No, 주어+haven't/hasn't.」로 합니다.

Have you heard the news?
너는 그 소식을 들었니?

Yes, I have. / No, I haven't.
응, 그랬어.　　　아니, 그러지 않았어.

Have we met before?
우리가 전에 만난 적이 있니?

Yes, we have. / No, we haven't.
응, 있어.　　　아니, 없어.

Has she left already?
그녀는 벌써 떠났니?

Yes, she has. / No, she hasn't.
응, 그랬어.　　　아니, 그러지 않았어.

Has your dad cooked dinner yet?
너희 아빠는 저녁 식사를 이미 요리하셨니?

Yes, he has. / No, he hasn't.
응, 그러셨어.　　　아니, 그러지 않으셨어.

Grammar Walk

A 다음 문장에서 「have/has not+과거분사」를 찾아 동그라미 하세요.

1 I (have not played) chess.
나는 체스를 두지 않았다.

2 Kate has not cleaned the kitchen.
케이트는 부엌을 청소하지 않았다.

3 Mr. Miles has not driven a truck.
마일스 씨는 트럭을 운전한 적이 없다.

4 They have not visited New York before.
그들은 전에 뉴욕을 방문한 적이 없다.

5 These books have not been popular.
이 책들은 인기가 있지 않다.

6 Roy has not felt well since breakfast.
로이는 아침 식사 이후로 몸이 좋지 않다.

7 My sister has not drunk water since yesterday.
우리 여동생은 어제부터 물을 마시지 않는다.

8 My brother and I have not talked since Monday.
내 남동생과 나는 월요일부터 말하지 않는다.

현재 완료 시제의 부정문은 not을 have/has 뒤에 쓴다는 것을 꼭 기억해.

I have not played chess.는 과거에 체스를 두지 않았고 지금도 체스를 두지 않는다는 뜻이야.

B 다음 문장에서 주어를 찾아 동그라미 하고, 「have/has+과거분사」를 찾아 밑줄을 치세요.

1 <u>Has</u> (Kate) <u>finished</u> her homework already?
케이트는 벌써 숙제를 끝냈니?

2 Have you met him before?
너는 전에 그를 만난 적이 있니?

3 Have they fed their dog already?
그들은 벌써 개에게 먹이를 주었니?

4 Has the rain stopped?
비가 그쳤니?

5 Have we seen the picture?
우리가 그 그림을 본 적이 있니?

6 Has the show started yet?
그 쇼는 이미 시작했니?

현재 완료 시제의 의문문은 주어가 have/has와 과거분사 사이에 쓰여.

WORDS · **before** 전에   · **feel well** 건강 상태가 좋다   · **since** ~이후로   · **already** 이미, 벌써   · **yet** 이미, 아직

Grammar Run! . . . .

A 다음 동사를 「have+과거분사」로 바꿔 쓸 때 빈칸에 알맞은 말을 쓰세요.

1 talk ➡ have ___talked___

2 visit ➡ have _____

3 like ➡ have _____

4 arrive ➡ have _____

5 try ➡ have _____

6 study ➡ have _____

7 drop ➡ have _____

8 shop ➡ have _____

9 stay ➡ have _____

10 play ➡ have _____

11 make ➡ have _____

12 leave ➡ have _____

13 have ➡ have _____

14 teach ➡ have _____

15 buy ➡ have _____

16 sleep ➡ have _____

17 meet ➡ have _____

18 speak ➡ have _____

19 wear ➡ have _____

20 begin ➡ have _____

21 sing ➡ have _____

22 eat ➡ have _____

23 are ➡ have _____

24 know ➡ have _____

25 go ➡ have _____

26 do ➡ have _____

27 run ➡ have _____

28 become ➡ have _____

29 read ➡ have _____

30 put ➡ have _____

 WORDS · **leave** 떠나다 · **begin** 시작하다 · **become** ~이 되다 · **put** 두다, 놓다

정답 및 해설 12쪽

B 다음 문장의 괄호 안에서 알맞은 말을 골라 동그라미 하세요.

1 Sam (has / does) washed his pet.

샘은 자기 애완동물을 씻겼다.

현재 완료 시제는 「have/
has+과거분사」로 쓰니까
과거분사 앞에는 have나
has가 필요해.

2 You (have / do) cleaned your room already.

너는 네 방을 이미 청소했다.

3 I (have / do) known Mrs. Hall for two years.

나는 홀 씨를 2년 동안 알아 왔다.

4 Bob (has / does) studied Korean for three years.

밥은 3년 동안 한국어를 공부해 왔다.

5 The show (have / has) started already.

그 쇼는 이미 시작했다.

6 They (have / has) lived in London since 2010.

그들은 2010년부터 런던에 살아 왔다.

7 She (have / has) finished her homework.

그녀는 숙제를 끝냈다.

과거분사형을 볼 때는 불규칙하게
변하는 동사를 주의해.

eat - ate - eaten

wear - wore - worn

see - saw - seen

build - built - built

grow - grew - grown

do - did - done

come - came - come

8 We (have / has) watched the movie.

우리는 그 영화를 봤다.

9 I have (ate / eaten) dinner already.

나는 이미 저녁 식사를 했다.

10 My sister has (wore / worn) glasses for six years.

내 여동생은 6년 동안 안경을 써 왔다.

11 We have (saw / seen) a ghost.

우리는 유령을 본 적이 있다.

12 The bird has (built / build) its nest.

그 새는 자기 둥지를 틀었다.

13 The boy has (grew / grown) so much since last year.

그 남자아이는 작년부터 무척 많이 자랐다.

14 You have (did / done) the dishes already.

너는 이미 설거지를 했다.

15 My parents have (come / came) home already.

우리 부모님은 이미 집에 오셨다.

WORDS · **pet** 애완동물 · **ghost** 유령 · **nest** 둥지 · **grow** 자라다, 크다 · **do the dishes** 설거지를 하다

Grammar Jump!

A 다음 중에서 알맞은 말을 찾아 문장을 완성하세요. 중복해서 사용할 수 있어요.

has	have	hasn't	haven't

1 I ___have___ known Lucy for ten years.
나는 루시를 10년 동안 알아 왔다.

2 We _____ used this computer since last month.
우리는 지난달부터 이 컴퓨터를 사용해 왔다.

3 Jenny _____ locked the door.
제니는 그 문을 잠가 버렸다.

4 Mr. Kirk _____ made a cake for us.
커크 씨는 우리에게 케이크를 만들어 주셨다.

5 She _____ had a headache since Monday.
그녀는 월요일부터 두통이 있다.

6 Bill _____ bought new clothes since last year.
빌은 작년부터 새 옷을 사지 않는다.

7 The students _____ read the book yet.
그 학생들은 아직 그 책을 읽지 않았다.

8 They _____ spoken to each other for a week.
그들은 일주일 동안 서로 말을 하지 않는다.

haven't는 have not의 줄임말이고, hasn't는 has not의 줄임말이야.

9 _____ she gone shopping already? 그녀는 벌써 쇼핑하러 갔니?

10 _____ he written many books? 그는 많은 책을 썼니?

11 _____ you been sick? 너는 아팠니?

우리말 뜻을 보면서 긍정문과 부정문, 의문문을 잘 구분해서 주어에 따라 알맞은 말을 넣으면 되지.

12 **A:** Have they watched a musical?
그들은 뮤지컬을 본 적이 있니?

   B: Yes, they _____.
   응, 있어.

13 **A:** Has she driven the car before?
그녀는 전에 그 자동차를 운전한 적이 있니?

   B: No, she _____.
   아니, 없어.

14 **A:** Have you heard the news?
너희는 그 소식을 들었니?

   B: No, we _____.
   아니, 못 들었어.

WORDS · **lock** (자물쇠로) 잠그다   · **headache** 두통   · **each other** 서로   · **sick** 아픈   · **hear** 듣다, 들리다

B 주어진 말을 사용하여 현재 완료 시제의 문장을 완성하세요.

1 I ___have___ ___drawn___ cartoons for three months. (drawn)
나는 석 달째 만화를 그려 왔다.

주어진 말이 모두 동사의 과거분사 형이구나!

2 They _____ _____ lunch already. (finished)
그들은 이미 점식 식사를 끝냈다.

3 Andy _____ _____ here since 2 p.m. (been)
앤디는 오후 2시부터 여기에 있다.

4 Mr. Brown _____ _____ science for ten years. (taught)
브라운 씨는 10년 동안 과학을 가르쳐 왔다.

5 My brother _____ _____ 10 centimeters since last year. (grown)
우리 남동생은 작년 이후로 10센티미터가 자랐다.

6 They _____ not _____ Picasso's paintings. (seen)
그들은 피카소의 그림을 본 적이 없다.

7 The leaves _____ not _____ yet. (fallen)
그 나뭇잎들은 아직 떨어지지 않았다.

8 The team _____ not _____ a game. (won)
그 팀은 경기에서 이긴 적이 없다.

9 Kate _____ not _____ her homework. (done)
케이트는 숙제를 하지 않았다.

현재 완료 시제의 의문문은 Have[Has]를 주어 앞에 써. Have를 쓸지 Has를 쓸지는 주어에 달려 있는 것 기억하지?

10 Dad _____ not _____ home yet. (come)
아빠는 아직 집에 오지 않으셨다.

11 _____ we _____ before? (met)
우리가 전에 만난 적이 있니?

12 _____ you _____ about time machines? (heard)
너는 타임머신에 대하여 들은 적이 있니?

13 _____ they _____ the missing boy? (found)
그들은 행방불명된 남자아이를 찾았니?

14 _____ it _____ a lot? (rained)
비가 많이 내렸니?

15 _____ she _____ the sandwiches? (made)
그녀는 샌드위치를 만들었니?

WORDS · **cartoon** 만화 · **fall** 떨어지다 · **time machine** 타임머신 · **missing** 없어진, 행방불명된

Grammar Fly! · · · · · · · · · · · · · · · · · ·

A 다음 밑줄 친 부분을 바르게 고쳐 현재 완료 시제의 문장을 완성하세요.

1 He has wear the shoes for three years.

⟹ He _____has_____ _____worn_____ the shoes for three years. 그는 3년 동안 그 신발을 신어 왔다.

> 현재 완료 시제의 문장을 완성하라고 했으니까 밑줄 친 부분을 어떻게 고치면 「have/has+과거분사」의 올바른 형태가 되는지 살펴보자.

2 My parents have watering the plants already.

⟹ My parents _____ _____ the plants already.
우리 부모님은 이미 그 식물에 물을 주셨다.

3 Sandy have been my friend since the second grade.

⟹ Sandy _____ _____ my friend since the second grade.
샌디는 2학년 때부터 내 친구이다.

4 The dog have barked since last night.

⟹ The dog _____ _____ since last night. 그 개는 어젯밤부터 짖는다.

5 We has study English for three years.

⟹ We _____ _____ English for three years. 우리는 3년 동안 영어를 공부해 왔다.

6 I haven't see my birthday cake.

⟹ I _____ _____ my birthday cake. 나는 내 생일 케이크를 보지 못했다.

7 Our teacher haven't arrived yet.

⟹ Our teacher _____ _____ yet. 우리 선생님은 아직 도착하지 않으셨다.

8 Mark hasn't ride a horse before.

⟹ Mark _____ _____ a horse before. 마크는 전에 말을 타 본 적이 없다.

9 They hasn't drink soda for two days.

⟹ They _____ _____ soda for two days. 그들은 이틀째 탄산음료를 마시지 않는다.

10 Has she cleanned the living room?

⟹ _____ she _____ the living room? 그녀는 거실을 청소했니?

11 Has you sent the invitations?

⟹ _____ you _____ the invitations? 너는 초대장을 보냈니?

12 Have your mother been a vet for many years?

⟹ _____ your mother _____ a vet for many years?
너희 어머니는 여러 해 동안 수의사시니?

WORDS · **grade** 학년 · **soda** 탄산음료 · **living room** 거실 · **invitation** 초대, 초대장 · **vet** 수의사

B 다음 문장을 괄호 안의 지시대로 바꿔 문장을 완성하세요.

1 He has worked at a post office since last year. (부정문)

➡ He ___has___ ___not___ ___worked___ at a post office since last year.

그는 작년부터 우체국에서 일하지 않는다.

2 We have talked for an hour. (부정문)

➡ We _____ _____ _____ for an hour. 우리는 한 시간째 이야기를 하지 않고 있다.

3 The birds have flown south. (부정문)

➡ The birds _____ _____ _____ south. 그 새들은 남쪽으로 날아가지 않았다.

4 They have spoken French for five years. (부정문)

➡ They _____ _____ _____ French for five years.

그들은 5년째 프랑스 어를 말하지 않고 있다.

5 She has sold her old car. (부정문)

➡ She _____ _____ _____ her old car. 그녀는 자신의 낡은 차를 팔지 않았다.

6 Mr. Moor has taught us since last week. (부정문)

➡ Mr. Moor _____ _____ _____ us since last week.

무어 선생님은 지난주부터 우리를 가르치시지 않는다.

7 We have studied math. (의문문)

➡ _____ we _____ math? 우리는 수학을 공부했니?

8 The clock has stopped. (의문문)

➡ _____ the clock _____? 그 시계가 멈추었니?

9 You have known the secret. (의문문)

➡ _____ you _____ the secret? 너는 그 비밀을 알고 있었니?

10 He has written lots of books. (의문문)

➡ _____ he _____ lots of books? 그는 많은 책을 써 왔니?

11 They have done the dishes already. (의문문)

➡ _____ they _____ the dishes already? 그들은 벌써 설거지를 했니?

12 The soccer club has practiced on Saturdays. (의문문)

➡ _____ the soccer club _____ on Saturdays? 그 축구 동아리는 토요일마다 연습해 왔니?

> 현재 완료 시제 문장의 부정문은 have[has] 뒤에 not을 써서 만들고, 의문문은 Have/Has를 주어 앞에 써서 만든다는 것 기억하지?

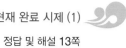

WORDS · **south** 남쪽으로 · **French** 프랑스 어 · **secret** 비밀 · **club** 클럽, 동호회

Grammar & Writing

A 정보 활용하기 다음은 클라라와 친구들의 취미 생활 사진입니다. 사진을 보고, 친구들이 취미 생활을 얼마 동안 해 왔는지 주어진 말을 사용하여 현재 완료 시제 문장을 완성하세요.

1

(take ballet lessons)

Clara ___has___ ___taken___ ___ballet___ ___lessons___ for two years.

2

(play soccer)

Ben _____ _____ _____ for five years.

3

(draw pictures)

Linda _____ _____ _____ for six months.

4

(collect stamps)

Kyle _____ _____ _____ for three years.

5

(ride a horse)

Lisa _____ _____ _____ for a year.

 WORDS · **take a ~ lesson** ~ 교습[수업]을 받다   · **collect** 모으다, 수집하다   · **stamp** 우표

B 그림 묘사하기 친구들이 이제 막 끝낸 일에 대해 이야기하고 있어요. 그림을 보고, 현재 완료 시제를 사용하여 주어진 대화를 완성하세요.

1 **A:** ___Have___ you ___cleaned___ your room, Eric? (clean)
B: Yes, I have.

2 **A:** _____ you _____ the cookies, Jenny? (eat)
B: Yes, I have.

3 **A:** _____ you _____ the plants, Amy? (water)
B: Yes, I have.

4 **A:** _____ you _____ Mom's car, Andy? (wash)
B: Yes, I have.

5 **A:** _____ you _____ a poster, Molly? (make)
B: Yes, I have.

6 **A:** _____ you _____ the dishes, Carl? (do)
B: Yes, I have.

 · water (식물에) 물을 주다   · poster 포스터, 벽보

UNIT TEST 03

[1-3] 다음 중 동사원형과 과거분사형이 <u>잘못</u> 짝지어진 것을 고르세요.

1 ❶ come - come ❷ hit - hit ❸ run - run
  ❹ cut - cut ❺ hear - hear

2 ❶ teach - taught ❷ leave - left ❸ find - found
  ❹ make - maked ❺ fight - fought

3 ❶ be - been ❷ eat - eaten ❸ go - gone
  ❹ have - haven ❺ do - done

[4-5] 다음 문장의 빈칸에 알맞은 말을 고르세요.

4 They _____ known each other for ten years.
  그들은 10년 동안 서로 알아 왔다.

  ❶ did ❷ do ❸ does ❹ have ❺ has

5 Alisa _____ finished her homework yet.
  알리사는 아직 숙제를 끝내지 않았다.

  ❶ don't ❷ doesn't ❸ didn't ❹ haven't ❺ hasn't

[6-7] 다음 문장의 빈칸에 들어갈 수 <u>없는</u> 말을 고르세요.

6

> He has _____ the dog.

❶ lost   ❷ find   ❸ fed   ❹ walked   ❺ seen

7

> I haven't _____ yet.

❶ finished   ❷ eaten   ❸ talked   ❹ began   ❺ started

[8-9] 다음 의문문에 대한 대답으로 알맞은 것을 고르세요.

8

> Has he left Seoul yet? 그는 이미 서울을 떠났니?

❶ Yes, he is.   ❷ Yes, he does.   ❸ Yes, he has.
❹ Yes, he have.   ❺ Yes, he did.

9

> Have you watched the movie before? 너는 전에 그 영화를 본 적이 있니?

❶ No, I'm not.   ❷ No, I don't.   ❸ No, I didn't.
❹ No, I have.   ❺ No, I haven't.

10 다음 중 짝지어진 대화가 <u>어색한</u> 것을 고르세요.

❶ **A:** Have you done the dishes yet?   **B:** Yes, I have.

❷ **A:** Has your watch stopped?   **B:** Yes, it does.

❸ **A:** Has he worn glasses for two years?   **B:** No, he hasn't.

❹ **A:** Have they watered the plants?   **B:** No, they haven't.

❺ **A:** Have the boys played soccer?   **B:** Yes, they have.

[11-12] 다음 문장을 괄호 안의 지시대로 바꿀 때 빈칸에 알맞은 말을 고르세요.

11

> We have lived in Chicago for three years. (부정문)
> ➡ We _____ in Chicago for three years.

❶ don't have lived　　❷ haven't lived　　❸ not have lived

❹ have lived not　　❺ didn't have lived

12

> She has written three letters. (의문문)
> ➡ _____ three letters?

❶ Does she written　　❷ Did she written　　❸ Did she have written

❹ Has she written　　❺ Does she have written

[13-14] 다음 문장의 빈칸에 들어갈 말이 순서대로 바르게 짝지어진 것을 고르세요.

13

> • Has she _____ shopping? 그녀는 쇼핑하러 갔니?
> • I haven't _____ well since Monday. 나는 월요일부터 몸이 좋지 않다.

❶ go – feel　　❷ went – felt　　❸ gone – felt

❹ goes – feel　　❺ gone – feel

14

> • He has _____ my best friend for six years. 그는 6년 동안 내 가장 친한 친구이다.
> • Have you _____ a horse before? 너는 전에 말을 타 본 적이 있니?

❶ is – rides　　❷ be – ride　　❸ was – rode

❹ were – ridden　　❺ been – ridden

[15-16] 다음 우리말 뜻과 같도록 괄호 안에서 알맞은 말을 고르세요.

15

우리 부모님은 그 남자 배우를 본 적이 있다.

My parents (have / has) seen the actor.

16

그는 한 달 동안 피아노를 치지 않고 있다.

He (hasn't / doesn't) played the piano for a month.

17 다음 대화의 괄호 안에서 알맞은 말을 고르세요.

A: Have you had dinner yet? 너는 이미 저녁 식사를 했니?
B: Yes, I (have / do). 응, 그랬어.

[18-20] 다음 밑줄 친 부분을 바르게 고쳐서 문장을 완성하세요.

18

Mr. Clark has <u>teach</u> us since last year.

Mr. Clark has _____ us since last year. 클라크 선생님은 작년부터 우리를 가르치신다.

19

<u>Did</u> you always known the secret?

_____ you always known the secret? 너는 그 비밀을 늘 알고 있었니?

20

She has <u>heard not</u> the news yet.

She has _____ _____ the news yet. 그녀는 그 소식을 아직 듣지 못했다.

[21 – 25] 다음 우리말 뜻과 같도록 주어진 말을 사용하여 현재 완료 시제의 문장을 완성하세요.

21 너는 네 방을 벌써 청소했니? (clean)

➡ _____ you _____ your room already?

22 우리는 전에 만난 적이 있니? (meet)

➡ _____ we _____ before?

23 지난달부터 비가 오지 않는다. (not, rain)

➡ It _____ _____ _____ since last month.

24 너는 3년 동안 영어를 공부해 왔다. (study)

➡ You _____ _____ English for three years.

25 그는 5년 동안 여기에 살고 있다. (live)

➡ He _____ _____ here for five years.

WRAP UP

1 현재 완료 시제

❶ 현재 완료 시제란 어떤 상태나 일이 ¹[   ]에 시작하여 ²[   ]까지 일어나거나 영향을 미치고 있음을 나타내는 것으로 「³[   ]/⁴[   ] + 과거분사」의 형태로 쓴다.

❷ 과거분사형은 과거형처럼 주로 동사원형에 -ed나 -d를 붙여 만들지만, 모양이 불규칙하게 바뀌는 동사들도 있다.

2 현재 완료 시제의 부정문과 의문문

❶ 부정문은 「주어+have/has+¹[   ]+과거분사 ~.」로 쓴다.

❷ 의문문은 「Have/Has+주어+²[   ] ~?」로 쓴다.
긍정으로 대답할 때는 「³[   ], 주어+have/has.」, 부정으로 대답할 때는 「No, 주어+⁴[   ]/⁵[   ].」로 한다.

Check Up 그림을 보고, 알맞은 말을 찾아 다음 대화의 빈칸에 쓰세요.

haven't   seen   has

UNIT 04 현재 완료 시제 (2)

오늘은 신 나게 농구 경기 한 판.

> We **have won** a basketball game before.

「have/has+과거분사」는 과거부터 지금까지
'~해 본 적이 있다'라는 경험을 나타낼 수도 있으니
전에 농구 경기에서 이긴 적이 있다는 거군.

> We **haven't lost** a game before.

우린 져 본 적이 없다! 어때? 긴장되지?
'~한 적이 없다'라고 말할 때는 not을 써서
「haven't/hasn't+과거분사」로 해.

Jihun **has** just **come**.

우리 반 명예를 위해서라도 지면 안 되는데 조금 힘들다.
이제 막 지훈이가 왔다고? '(방금) ~했다'라는 뜻으로
완료를 뜻하는 현재 완료가 이렇게 반가울 수가!

The game **hasn't finished** yet.

우리 반에서 가장 농구를 잘하는 지훈이가 왔으니 든든하다.
'아직 ~하지 않았다'라고 부정할 때는 not이 필수!
그래, 아직 게임은 끝나지 않았어.

01 현재 완료 시제 – 경험

현재 완료 시제는 과거부터 현재까지의 경험을 나타낼 수 있습니다.

A 경험을 나타내는 현재 완료 시제

'~해 본 적[경험]이 있다' 또는 '~해 보았다'라는 뜻으로 「have/has+과거분사」를 씁니다.
주로 before(전에)나 ~ times(~ 번) 등의 횟수를 나타내는 말과 함께 씁니다.

He **has been** to New York <u>before</u>. 그는 전에 뉴욕에 가 본 적이 있다.

They **have won** <u>several times</u>. 그들은 우승해 본 적이 몇 번 있다.

B 부정문

'~해 본 적[경험]이 없다'라는 뜻으로 「haven't/hasn't+과거분사」를 씁니다.
'~해 본 적[경험]이 절대[전혀/한 번도] 없다'라고 할 때는 「have/has+never+과거분사」로 쓰기도 합니다.

We **haven't eaten** chocolate before. 우리는 전에 초콜릿을 먹어 본 적이 없다.

My sister **hasn't played** a video game. 우리 언니는 비디오 게임을 해 본 적이 없다.

He **has never spoken** to a girl. 그는 여자아이에게 말을 걸어 본 적이 한 번도 없다.

C 의문문

'~해 본 적[경험]이 있니?'라는 뜻으로 「Have/Has+주어+(ever)+과거분사 ~?」를 씁니다.
긍정일 때는 「Yes, 주어+have/has.」, 부정일 때는 「No, 주어+haven't/hasn't.」로 대답합니다.

Have you <u>ever</u> **broken** your arm?
너는 팔이 부러진 적이 있니?

Yes, I have. / No, I haven't.
응, 있어.　　　아니, 없어.

Has that country <u>ever</u> **won** the World Cup before?
그 나라는 전에 월드컵에서 우승해 본 적이 있니?

Yes, it has. / No, it hasn't.
응, 있어.　　　아니, 없어.

Grammar Walk

정답 및 해설 15쪽

A 다음 문장에서 「have/has+과거분사」 또는 「haven't/hasn't+과거분사」를 찾아 밑줄을 치고, 경험을 나타낼 때 함께 쓰이는 말을 찾아 동그라미 하세요.

1 I <u>have seen</u> the girl (before).

나는 전에 그 여자아이를 본 적이 있다.

2 My uncle has been to Turkey once.

우리 삼촌은 터키에 가 보신 적이 한 번 있다.

3 Tom has volunteered at a hospital twice.

톰은 병원에서 자원봉사를 한 적이 두 번 있다.

4 They have watched the musical several times.

그들은 그 뮤지컬을 본 적이 몇 번 있다.

5 They have never skated.

그들은 스케이트를 타 본 적이 전혀 없다.

6 She and Kamil have never eaten pork.

그녀와 카밀은 돼지고기를 먹어 본 적이 전혀 없다.

7 She hasn't worn the dress before.

그녀는 전에 그 드레스를 입어 본 적이 없다.

8 We haven't visited New York before.

우리는 전에 뉴욕을 방문해 본 적이 없다.

'~해 본 적이 전혀 없다'라고 할 때는 not 대신 never를 사용해서 부정의 의미를 나타낼 수 있지.

그렇다면 never도 경험을 나타낼 때 함께 쓰는 부사로 동그라미!

B 다음 의문문에 대한 알맞은 대답을 찾아 선으로 연결하세요.

1 Have you ever touched a snake?

너는 뱀을 만져 본 적이 있니?

2 Have they ever met a singer?

그들은 가수를 만나 본 적이 있니?

3 Has Jane ever studied Korean?

제인은 한국어를 공부해 본 적이 있니?

4 Has Mike ever been to Korea?

마이크는 한국에 와 본 적이 있니?

5 Has the cat ever caught a mouse?

그 고양이는 쥐를 잡아 본 적이 있니?

a. No, it hasn't.

아니, 없어.

b. Yes, he has.

응, 있어.

c. No, I haven't.

아니, 없어.

d. No, they haven't.

아니, 없어.

e. Yes, she has.

응, 있어.

 WORDS · **before** 전에 · **volunteer** 자원봉사를 하다 · **several** (몇)몇의 · **time** ~번 · **touch** 만지다[건드리다]

02 현재 완료 시제 – 완료

현재 완료 시제는 과거에 시작한 행동이나 일이 방금 완료되었거나,
어떤 일이 지금 막 일어났음을 나타낼 수 있습니다.

A 완료를 나타내는 현재 완료 시제

'~ (다)했다', '(지금 막) ~했다'라는 뜻으로 「have/has+과거분사」를 씁니다.
주로 just(지금 막, 방금), already(이미, 벌써) 등의 부사와 함께 씁니다.

I **have** just **heard** the news. 나는 지금 막 그 소식을 들었다.
She **has washed** the dishes already. 그녀는 이미 설거지를 했다.

B 부정문

'(아직) ~하지 않았다'라는 뜻으로 「haven't/hasn't+과거분사」를 쓰고,
주로 yet(아직)을 문장 끝에 씁니다.

I **haven't had** lunch yet. 나는 아직 점심 식사를 하지 않았다.
The movie **hasn't started** yet. 그 영화는 아직 시작하지 않았다.

C 의문문

Have/Has와 주어의 위치를 바꿔 「Have/Has+주어+과거분사 ~?」로 씁니다.
yet이나 already와 함께 쓰이면 '이미[벌써] ~했니?'라는 뜻을 나타냅니다.

Have you **eaten** the cake yet?
너희들은 그 케이크를 이미 먹었니?

Yes, we have. / No, we haven't.
응, 그랬어.   아니, 안 그랬어.

Has the snow **stopped** already?
눈이 벌써 그쳤니?

Yes, it has. / No, it hasn't.
응, 그쳤어.   아니, 그치지 않았어.

Grammar Walk

정답 및 해설 15쪽

A 다음 문장에서 「have/has+과거분사」 또는 「haven't/hasn't+과거분사」를 찾아 밑줄을 치고, 행동의 완료를 나타낼 때 함께 쓰이는 말을 찾아 동그라미 하세요.

1 I <u>have finished</u> the homework (already).
나는 이미 숙제를 끝냈다.

2 You have already eaten three sandwiches.
너는 이미 샌드위치 세 개를 먹었다.

3 Mom has just come home.
엄마는 지금 막 집에 오셨다.

4 The movie has just begun.
그 영화는 지금 막 시작했다.

5 The snow hasn't stopped yet.
눈이 아직 그치지 않았다.

6 Eddy and his friends haven't heard the news yet.
에디와 그의 친구들은 아직 그 소식을 듣지 못했다.

7 Your Christmas card hasn't arrived yet.
네 크리스마스카드는 아직 도착하지 않았다.

8 They haven't left for London yet.
그들은 아직 런던으로 떠나지 않았다.

> 사건이나 행동의 완료를 말할 때 함께 쓰는 부사에는 already(이미, 벌써), just(지금 막), yet(아직, 이미) 등이 있어.

> yet은 주로 부정문과 의문문에서 쓰여. 부정문에서는 '아직'이라는 뜻으로 쓰이지만 의문문에서는 '이미, 벌써'라는 뜻으로 쓰이니까 주의해.

B 다음 의문문에 대한 알맞은 대답을 고르세요.

1 Has she made her bed yet?
그녀는 이미 잠자리를 정돈했니?
❶ Yes, she does. ❷Yes, she has.

2 Have you sent a letter to Susan yet?
너는 이미 수잔에게 편지를 보냈니?
❶ Yes, I have. ❷ Yes, I do.

3 Has the class started already?
그 수업은 벌써 시작했니?
❶ No, it doesn't. ❷ No, it hasn't.

4 Have they had lunch yet?
그들은 이미 점심 식사를 했니?
❶ No, they don't. ❷ No, they haven't.

5 Has Oliver called you already?
올리버가 네게 벌써 전화했니?
❶ Yes, he did. ❷ Yes, he has.

· **already** 이미, 벌써 · **just** 막, 방금, 지금 막 · **leave for** ~로 떠나다 · **make one's bed** (기상 후) 잠자리를 개대[정돈하다]

현재 완료 시제 (2) **77**

Grammar Run! . . . .

A   다음 문장의 괄호 안에서 알맞은 말을 골라 동그라미 하세요.

1   The team has (wins / win / (won)) a game before.
그 팀은 전에 경기에서 이겨 본 적이 있다.

2   He has (be / was / been) late for school several times.
그는 학교에 지각한 적이 몇 번 있다.

3   She has (saw / see / seen) a camel before.
그녀는 전에 낙타를 본 적이 있다.

4   The dog has (break / broken / broke) its leg twice.
그 개는 다리가 부러진 적이 두 번 있다.

5   My dad has (swam / swim / swum) in the sea.
우리 아빠는 바다에서 수영해 보신 적이 있다.

6   You have (gave / give / given) me flowers before.
너는 전에 내게 꽃을 준 적이 있다.

7   We have (written / write / wrote) letters to the movie star many times.
우리는 그 영화배우에게 편지를 쓴 적이 여러 번 있다.

8   He has (drive / driven / drove) a truck twice.
그는 트럭을 운전한 적이 두 번 있다.

9   She has (leaves / left / leave) for the airport already.
그녀는 이미 공항으로 떠났다.

10   He has just (wipe / wiped / wipes) the dishes.
그는 방금 그릇을 닦았다.

11   Mr. Hans has just (fix / fixes / fixed) your telescope.
한스 씨가 네 망원경을 방금 고쳤다.

12   Mom has just (have / had / has) dinner.
엄마는 저녁 식사를 방금 하셨다.

13   They have just (find / found / founded) the missing child.
그들은 그 실종된 아이를 방금 찾았다.

14   Your brother has already (send / sent / sends) e-mail.
너희 형은 이메일을 이미 보냈다.

15   We have already (readed / read / reads) the book.
우리는 그 책을 이미 읽었다.

The team has won a game before.에서 has won은 '이겨 본 적이 있다'라는 뜻으로 과거부터 지금(현재)까지 이겨 본 경험이 있다는 의미야.

He has just wiped the dishes.에서 has just wiped는 '방금 닦았다'라는 뜻으로 과거에 시작한 그릇 닦는 일을 현재, 그러니까 지금 막 끝마쳤다는 의미고.

 WORDS   · **movie star** 영화배우   · **airport** 공항   · **wipe** (물기 등을) 닦다   · **telescope** 망원경   · **missing** 실종된, 행방불명된

B 다음 중 알맞은 말을 찾아 현재 완료 시제 문장을 완성하세요.

> won   begun   been   seen   eaten   met
> told   bought   swept   ridden   brushed   flown

1 I ___have___ ___won___ the prize once.
나는 그 상을 탄 적이 한 번 있다.

2 He _____ _____ a shooting star three times.
그는 별똥별을 본 적이 세 번 있다.

3 You _____ _____ me the story before.
너는 전에 내게 그 이야기를 말한 적이 있다.

4 She _____ _____ a roller coaster several times.
그녀는 롤러코스터를 타 본 적이 몇 번 있다.

> 주어를 잘 보고 have를 써야 할지 has를 써야 할지 결정한 다음, 우리말에 알맞은 동사의 과거분사형을 찾아 쓰면 돼.

5 They _____ _____ to the city twice.
그들은 그 도시에 가 본 적이 두 번 있다.

6 We _____ _____ the cheesecake already.
우리는 이미 그 치즈 케이크를 먹었다.

7 The show _____ _____ already.
그 쇼는 이미 시작했다.

8 Chad _____ just _____ his hair.
채드는 방금 자기 머리를 빗었다.

> '~에 가 본 적이 있다'라고 할 때는 be동사의 과거분사형을 사용해서 「have/has been to」를 써.

9 Lisa and Greg _____ just _____.
리사와 그레그는 방금 만났다.

10 My sister _____ _____ the floor already.
내 여동생은 이미 바닥을 쓸었다.

11 The birds _____ already _____ south.
그 새들은 이미 남쪽으로 날아갔다.

12 Betty _____ just _____ a new hairpin.
베티는 방금 새 머리핀을 샀다.

Grammar Jump!

A 다음 문장을 괄호 안의 지시대로 바꿔 쓸 때 빈칸에 알맞은 말을 쓰세요.

1 I have met him before. (부정문)
   ➡ I ___haven't___ ___met___ him before.

2 He has heard the story before. (부정문)
   ➡ He _____ never _____ the story before.

3 They have won gold medals before. (부정문)
   ➡ They _____ never _____ gold medals before.

4 She has done her homework already. (부정문)
   ➡ She _____ _____ her homework yet.

5 We have cleaned the bathroom already. (부정문)
   ➡ We _____ _____ the bathroom yet.

6 Peter has arrived at the subway station. (부정문)
   ➡ Peter _____ _____ at the subway station.

7 My sisters have written poems before. (의문문)
   ➡ _____ my sisters ever _____ poems?

8 She has had a pet before. (의문문)
   ➡ _____ she ever _____ a pet?

9 His parents have seen a famous singer. (의문문)
   ➡ _____ his parents ever _____ a famous singer?

10 They have just fed their dog. (의문문)
   ➡ _____ they just _____ their dog?

11 The snow has stopped already. (의문문)
   ➡ _____ the snow _____ already?

12 The concert has begun already. (의문문)
   ➡ _____ the concert _____ already?

> never는 그 자체로 '~해 본 적이 전혀 없다'라는 부정의 의미가 있으니까 not을 또 쓰지 않도록 조심해야 해.

> She has had a pet before.에서 has had는 '가져 본 적이 있다'라는 뜻으로 과거에서 지금(현재)까지 애완동물을 가져 본 경험이 있다는 의미야.

WORDS · **gold medal** 금메달 · **subway station** 지하철역 · **poem** 시 · **pet** 애완동물 · **stop** 멈추다

B 다음 대화의 빈칸에 알맞은 말을 쓰세요.

1 A: Have you ever been to Canada? 너는 캐나다에 가 본 적이 있니?
  B: Yes, <u>I</u> <u>have</u>. 응, 있어.

> 현재 완료 시제의 의문문에 대답할 때는 알맞은 대명사와 긍정, 부정에 따라 have[has], haven't[hasn't]를 써야 해.

2 A: Have you ever eaten octopus? 너는 문어를 먹어 본 적이 있니?
  B: No, ＿＿＿＿＿＿＿＿＿. 아니, 없어.

3 A: Has she ever volunteered at the library? 그녀는 도서관에서 자원봉사를 해 본 적이 있니?
  B: Yes, ＿＿＿＿＿＿＿＿＿. 응, 있어.

4 A: Has he ever baked a cake? 그는 케이크를 구워 본 적이 있니?
  B: No, ＿＿＿＿＿＿＿＿＿. 아니, 없어.

5 A: Have you and your friend ever climbed Mt. Everest? 너와 네 친구는 에베레스트 산에 올라간 적이 있니?
  B: No, ＿＿＿＿＿＿＿＿＿. 아니, 없어.

6 A: Have your parents ever run a marathon? 너희 부모님은 마라톤을 뛰어 보신 적이 있니?
  B: Yes, ＿＿＿＿＿＿＿＿＿. 응, 있으셔.

7 A: Have they bought my present already? 그들은 벌써 내 선물을 샀니?
  B: Yes, ＿＿＿＿＿＿＿＿＿. 응, 그랬어.

8 A: Has the class started yet? 수업이 이미 시작했니?
  B: Yes, ＿＿＿＿＿＿＿＿＿. 응, 그랬어.

> yet과 함께 쓴 의문문은 '(이미) ~했니?'라는 뜻이니까, Have the kids had lunch yet?은 과거에 점심 식사를 시작한 아이들이 식사를 마쳤는지 묻는 거야.

9 A: Have the kids had lunch yet? 그 아이들은 이미 점심 식사를 했니?
  B: No, ＿＿＿＿＿＿＿＿＿. 아니, 안 그랬어.

10 A: Have the boys taken a bath already? 그 남자아이들은 벌써 목욕을 했니?
  B: No, ＿＿＿＿＿＿＿＿＿. 아니, 안 그랬어.

11 A: Has Mike passed the exam already? 마이크는 벌써 시험에 통과했니?
  B: Yes, ＿＿＿＿＿＿＿＿＿. 응, 그랬어.

12 A: Has your mom met your teacher already? 너희 엄마는 벌써 너희 선생님을 만나셨니?
  B: No, ＿＿＿＿＿＿＿＿＿. 아니, 안 그러셨어.

WORDS · **octopus** 문어 · **marathon** 마라톤 · **present** 선물 · **take a bath** 목욕하다

Grammar Fly! ·

A 다음 문장의 밑줄 친 부분을 바르게 고쳐 빈칸에 쓰세요.

1 I have <u>saw</u> a musical before.
➡ I have ___seen___ a musical before. 나는 전에 뮤지컬을 본 적이 있다.

> 현재 완료 시제는 「have/has +과거분사」로 쓴다는 걸 기억하고, have와 has가 주어에 맞게 쓰였는지, 과거분사형이 올바른지 잘 봐.

2 He has <u>wrote</u> a book before.
➡ He has _____ a book before. 그는 전에 책을 쓴 적이 있다.

3 You <u>do</u> made a big mistake before.
➡ You _____ made a big mistake before. 너는 전에 큰 실수를 한 적이 있다.

4 The party <u>does</u> just started.
➡ The party _____ just started. 그 파티는 방금 시작했다.

5 My brother and I have <u>clean</u> our room.
➡ My brother and I have _____ our room. 내 남동생과 나는 우리 방을 청소했다.

6 Mom <u>have</u> knitted two sweaters already.
➡ Mom _____ knitted two sweaters already. 엄마는 스웨터 두 벌을 이미 뜨셨다.

7 She <u>haven't</u> listened to the song before.
➡ She _____ listened to the song before. 그녀는 그 노래를 전에 들어 본 적이 없다.

8 The train <u>haven't</u> arrived yet.
➡ The train _____ arrived yet. 그 기차는 아직 도착하지 않았다.

9 The birds <u>hasn't</u> returned yet.
➡ The birds _____ returned yet. 그 새들은 아직 돌아오지 않았다.

10 The plane <u>not has</u> taken off yet.
➡ The plane _____ _____ taken off yet. 그 비행기는 아직 이륙하지 않았다.

11 Has Jenny ever <u>took</u> a ballet lesson?
➡ Has Jenny ever _____ a ballet lesson? 제니는 발레 교습을 받아 본 적이 있니?

12 <u>Did</u> you sent Clara e-mail already?
➡ _____ you sent Clara e-mail already? 너는 클라라에게 이메일을 벌써 보냈니?

> **WORDS** · **make a mistake** 실수를 하다 · **knit** 실로 뜨다, 짜다 · **sweater** 스웨터 · **return** 돌아오다 · **take off** 이륙하다

B 주어진 말을 사용하여 현재 완료 시제의 문장을 완성하세요.

1 I ___have___ ___read___ the book twice. (read)
나는 그 책을 읽은 적이 두 번 있다.

2 Sarah _____ _____ the boy before. (meet)
사라는 그 남자아이를 전에 만난 적이 있다.

3 My cat _____ _____ its leg several times. (break)
우리 고양이는 다리가 부러진 적이 몇 번 있다.

4 I _____ _____ Chinese food many times. (eat)
나는 중국 음식을 먹어 본 적이 여러 번 있다.

5 My uncle _____ just _____ a bath. (take)
우리 삼촌은 방금 목욕하셨다.

6 They _____ already _____ for the airport. (leave)
그들은 이미 공항으로 떠났다.

7 He _____ _____ his car already. (wash)
그는 자기 차를 이미 세차했다.

8 We _____ already _____ the comic book. (finish)
우리는 이미 그 만화책을 끝냈다.

9 School _____ just _____. (begin)
학교가 이제 막 시작했다.

10 Dad _____ _____ home yet. (come)
아빠는 집에 아직 오시지 않았다.

11 We _____ _____ dinner yet. (have)
우리는 저녁 식사를 아직 하지 않았다.

12 _____ you ever _____ this story before? (hear)
너는 이 이야기를 전에 들어 본 적이 있니?

13 _____ James ever _____ to Seoul? (be)
제임스는 서울에 가 본 적이 있니?

14 _____ she _____ already? (sing)
그녀는 벌써 노래했니?

15 _____ the snow _____ yet? (stop)
눈이 이미 그쳤니?

긍정문인지 부정문인지,
평서문인지 의문문인지
우리말 뜻을 잘 살펴봐.

WORDS · **break** 부러뜨리다 · **Chinese food** 중국 음식 · **comic book** 만화책 · **begin** 시작하다

Grammar & Writing

A 　그림 묘사하기　 친구들이 지금까지 자신들이 경험한 일들에 대해 말하고 있습니다. 그림을 보고, 문장을 완성하세요.

1

(visit LA)
Erica _____ has visited LA _____ before.

2
(win a singing contest)
Nancy _____ before.

3
(volunteer at the library)
Dan _____ before.

4
(travel to China)
Brian _____ before.

5
(ride a horse)
Olivia _____ before.

6
(run a marathon)
Ted and Kate _____ before.

WORDS　　·**contest** 대회, 시합　　·**travel** 여행하다　　·**run a marathon** 마라톤을 뛰다

B 그림 묘사하기 다음은 아라가 오늘 할 일 중 오후 2시 현재 이미 한 일과 아직 하지 않은 일을 표시한 것입니다. 그림을 보고, 현재 완료 시제를 사용하여 다음 문장을 완성하세요.

make my bed

feed the dog

finish my homework

exercise

practice the piano

write in my diary

1 _____I have made my bed_____ already.

2 _____ already.

3 _____ already.

4 _____ yet.

5 _____ yet.

6 _____ yet.

WORDS · **exercise** 운동하다　· **practice** 연습하다　· **write (in) one's diary** 일기를 쓰다

UNIT TEST 04

[1–2] 다음 중 동사원형과 과거분사형이 <u>잘못</u> 짝지어진 것을 고르세요.

1 ❶ knit – knitted ❷ stop – stopped ❸ listen – listened
    ❹ come – come ❺ eat – ate

2 ❶ wear – worn ❷ meet – met ❸ keep – kept
    ❹ find – found ❺ make – maked

[3–5] 다음 문장의 빈칸에 알맞은 말을 고르세요.

3
> You _____ told me the story before. 너는 전에 내게 그 이야기를 말해 준 적이 있다.

❶ did ❷ do ❸ does ❹ have ❺ has

4
> Your Christmas card _____ arrived yet. 네 크리스마스카드는 아직 도착하지 않았다.

❶ don't ❷ doesn't ❸ didn't ❹ haven't ❺ hasn't

5
> _____ she come home already? 그녀는 벌써 집에 왔니?

❶ Is ❷ Do ❸ Does ❹ Have ❺ Has

[6-8] 다음 문장의 밑줄 친 부분을 바르게 고친 것을 고르세요.

6

He <u>seen</u> a shooting star before. 그는 전에 별똥별을 본 적이 있다.

❶ see   ❷ sees   ❸ not seen   ❹ have seen   ❺ has seen

7

The birds <u>don't</u> returned yet. 그 새들은 아직 돌아오지 않았다.

❶ doesn't   ❷ hasn't   ❸ isn't   ❹ haven't   ❺ didn't

8

We have <u>ridden never</u> a roller coaster. 우리는 롤러코스터를 타 본 적이 한 번도 없다.

❶ never ridden   ❷ never rode   ❸ never ride   ❹ not rode   ❺ ridden not

[9-10] 다음 의문문에 대한 대답으로 알맞은 말을 고르세요.

9

Have you ever been to Paris? 너는 파리에 가 본 적이 있니?

❶ Yes, I am.   ❷ Yes, I do.   ❸ Yes, I have.

❹ Yes, I did.   ❺ Yes, I was.

10

Has the show begun already? 그 쇼는 벌써 시작했니?

❶ No, it isn't.   ❷ No, it doesn't.   ❸ No, it wasn't.

❹ No, it hasn't.   ❺ No, it didn't.

[11-12] 다음 우리말을 영어로 바르게 옮긴 것을 고르세요.

11

> 그는 학교에 지각한 적이 여러 번 있다.

❶ He is late for school many times.

❷ He was late for school.

❸ He has been late for school many times.

❹ He have been late for school many times.

❺ He has never been late for school.

12

> 우리는 그 강아지에게 방금 먹이를 주었다.

❶ We feed the dog.　　　　❷ We don't feed the dog.

❸ We have fed the dog before.　　　❹ We have just fed the dog.

❺ We haven't fed the dog yet.

[13-14] 다음 문장의 빈칸에 들어갈 말이 순서대로 바르게 짝지어진 것을 고르세요.

13

> • I _____ already eaten three sandwiches. 나는 이미 샌드위치 세 개를 먹었다.
> • He _____ never run a marathon. 그는 마라톤을 뛰어 본 적이 한 번도 없다.

❶ have - does　　　❷ have - have　　　❸ have - has

❹ do - has　　　❺ do - does

14

> • Has she _____ for the airport already? 그녀는 벌써 공항으로 떠났니?
> • Have you ever _____ a pet? 너는 애완동물을 가져 본 적이 있니?

❶ leave - have　　　❷ leaves - had　　　❸ left - have

❹ left - has　　　❺ left - had

15 다음 중 올바른 문장을 고르세요.

❶ She has make her bed already.　　❷ Tina has took a ballet lesson before.

❸ Mom has just cooked dinner.　　❹ I has visited the zoo before.

❺ Jennifer have eaten *gimchi* before.

[16 - 17] 다음 대화의 괄호 안에서 알맞은 말을 고르세요.

16

A: (Have / Do) you ever visited Canada?
B: Yes, I have.

17

A: (Has / Have) she washed the dishes yet?
B: No, she hasn't.

[18 - 20] 다음 문장의 밑줄 친 부분을 바르게 고쳐 써 문장을 완성하세요.

18

I have <u>volunteered not</u> at a hospital before.

➡ I have ＿＿＿＿＿＿＿ ＿＿＿＿＿ at a hospital before.
　나는 전에 병원에서 자원봉사를 한 적이 없다.

19

<u>Have</u> the plane taken off already?

➡ ＿＿＿＿＿＿＿ the plane taken off already?
　그 비행기는 벌써 이륙했니?

20

He <u>doesn't</u> learned Korean.

➡ He ＿＿＿＿＿＿＿ learned Korean.
　그는 한국어를 배운 적이 없다.

정답 및 해설 17~18쪽

[21 – 25] 다음 우리말 뜻과 같도록 주어진 말을 사용하여 현재 완료 시제의 문장을 완성하세요.

21 나는 그 뮤지컬을 본 적이 두 번 있다. (watch)

➡ I _____ _____ the musical twice.

22 그는 아직 그 소식을 듣지 못했다. (hear)

➡ He _____ _____ _____ the news yet.

23 그들은 이미 숙제를 끝마쳤다. (finish)

➡ They _____ _____ their homework already.

24 우리는 방금 아침 식사를 했다. (have)

➡ We _____ just _____ breakfast.

25 비가 벌써 그쳤니? (stop)

➡ _____ the rain _____ already?

1 경험을 나타내는 현재 완료 시제

❶ '~해 본 적[경험]이 있다'라는 뜻으로 ¹[   ]부터 ²[   ]까지의 경험에 대해 말하거나 물을 때 현재 완료 시제를 쓸 수 있다.

❷ ³[   ]을 나타내는 현재 완료 시제와 자주 쓰이는 부사에는 once, twice, ~ times 등의 횟수를 나타내는 말이나 before, ever, never 등이 있다.

2 완료를 나타내는 현재 완료 시제

❶ '(지금 막, 방금) ~했다'라는 뜻으로 ¹[   ]에 시작해서 ²[   ] 완료한 일이나 행동에 대해 말하거나 물을 때 현재 완료 시제를 사용할 수 있다.

❷ ³[   ]를 나타내는 현재 완료 시제와 자주 쓰이는 부사에는 already, yet, just 등이 있다.

Check Up 그림을 보고, 알맞은 말을 찾아 다음 대화의 빈칸에 쓰세요.

skated   have   haven't

REVIEW TEST 02

[1-2] 다음 중 동사원형과 과거분사형이 잘못 짝지어진 것을 고르세요.

1
❶ be – been ❷ hit – hit ❸ go – gone
❹ begin – begun ❺ break – broke

2
❶ eat – eaten ❷ grow – grown ❸ find – found
❹ do – done ❺ see – saw

[3-5] 다음 문장의 빈칸에 알맞은 말을 고르세요.

3

> We _____ known each other since last year.
> 우리는 작년부터 서로 알고 지내 왔다.

❶ did ❷ do ❸ does ❹ have ❺ has

4

> Dad _____ washed the dishes yet.
> 아빠는 아직 설거지를 하지 않으셨다.

❶ don't ❷ doesn't ❸ didn't ❹ haven't ❺ hasn't

5

> _____ you ever been to Paris?
> 너는 파리에 가 본 적이 있니?

❶ Did ❷ Have ❸ Has ❹ Haven't ❺ Hasn't

[6-7] 다음 문장의 빈칸에 들어갈 수 <u>없는</u> 말을 고르세요.

6

> She has _____ the bike.

❶ fixed　　❷ painted　　❸ broken　　❹ lose　　❺ washed

7

> He hasn't _____ dinner yet.

❶ cooked　　❷ had　　❸ has　　❹ finished　　❺ started

[8-10] 다음 문장을 괄호 안의 지시대로 바꿔 쓸 때 빈칸에 알맞은 말을 고르세요.

8

> Lisa has left for school already. (부정문)
> ➡ Lisa _____ for school yet.

❶ doesn't leave　　❷ haven't leave　　❸ hasn't leave

❹ haven't left　　❺ hasn't left

9

> School has begun already. (의문문)
> ➡ _____ already?

❶ Does school begin　　❷ Has school began　　❸ Has school begun

❹ Have school begun　　❺ Did school begun

10

> You have sung that song before. (의문문)
> ➡ _____ that song?

❶ Have you ever sing　　❷ Has you ever sung　　❸ Have you ever sung

❹ Has you ever sing　　❺ Have you ever sang

[11–12] 다음 의문문에 대한 대답으로 알맞은 것을 고르세요.

11

> Has Ms. Scott arrived at the airport already? 스콧 씨는 벌써 공항에 도착했니?

❶ Yes, she is.　　❷ Yes, she does.　　❸ Yes, she has.

❹ Yes, she have.　　❺ Yes, she did.

12

> Have you ever met Mr. Davis? 너는 데이비스 씨를 만난 적이 있니?

❶ No, I'm not.　　❷ No, I don't.　　❸ No, I didn't.

❹ No, I hasn't.　　❺ No, I haven't.

13 다음 중 밑줄 친 부분이 <u>잘못된</u> 문장을 고르세요.

❶ She <u>has worn not</u> glasses before.

❷ She <u>hasn't made</u> a kite before.

❸ <u>Has he seen</u> a penguin before?

❹ I <u>haven't broken</u> my arm before.

❺ <u>Has that country won</u> the World Cup before?

[14–15] 다음 대화의 빈칸에 알맞은 말을 고르세요.

14

> **A:** Have you ever _____ a camel? 너는 낙타를 타 본 적이 있니?
>
> **B:** No, I _____ . 아니, 없어.

❶ ride – don't　　❷ rode – didn't　　❸ ridden – haven't

❹ ridden – hasn't　　❺ ridden – didn't

15

> **A:** Has she _____ her hamburger already? 그녀는 벌써 햄버거를 먹었니?
>
> **B:** Yes, she _____ . 응, 그랬어.

❶ eat – has   ❷ ate – has   ❸ eaten – has

❹ eaten – have   ❺ eaten – did

16 다음 대화의 밑줄 친 부분을 바르게 고쳐 쓰세요.

> **A:** <u>Had</u> you ever skated?
>
> **B:** No, I haven't.

➡ _____

[17 – 18] 다음 우리말 뜻과 같도록 주어진 말을 사용하여 문장을 완성하세요.

17 우리는 방금 마당을 쓸었다. (sweep)

➡ We _____ just _____ the yard.

18 그 콘서트는 이미 시작했다. (begin)

➡ The concert _____ _____ already.

[19 – 20] 다음 주어진 말을 바르게 배열하여 문장을 쓰세요.

19 (never / I / have / late for school / been / .)

➡ _____

     나는 학교에 지각한 적이 한 번도 없다.

20 (you / swum / ever / with dolphins / have / ?)

➡ _____

     너는 돌고래와 수영해 본 적이 있니?

현재 완료 시제 (3)

오랜만에 시경이네 집으로
놀러 가는 중이에요.

시경이와 난 4년 동안 계속
친구로 지내 오고 있어요.

우린
계속 친구

We **have been** friends for four years.

「have/has+과거분사」인 현재 완료 시제는 과거부터 현재까지
'계속 ~해 오고 있다'는 뜻을 나타낼 수 있어요.

그러고 보니 시경이의 막내 동생 시아를 1년 동안
죽 못 봤어요.

이렇게 부정할 때는 have/has 뒤에 not을
써서 haven't/hasn't로 줄여 쓸 수 있지요.

I **haven't seen** her for a year.

> Sikyung **has gone** to the gym.

가는 날이 장날이라더니
시경이가 체육관에 가 버려서
결과적으로 집에 없다고 해요.

현재 완료 시제는 과거의 결과가
지금까지 영향을 미치고 있다는 것을
나타내기도 하니까요.

> **Have** you **forgotten** me?

윽, 시아가 절 완전히 잊어버린 걸까요?

현재 완료 시제의 의문문인
「Have/Has+주어+과거분사 ~?」로
묻자니 왠지 서운해요.

예전에 알았다고 계속 기억해 주는 것은 아닌가 봐요.
과거의 좋은 일이 현재까지 좋은 영향을 줄 수 있도록
더욱 부지런해져야겠어요.

01 현재 완료 시제 – 계속

현재 완료 시제는 과거에 시작해서 현재까지 계속되고 있는 일이나 상태를 나타낼 수 있습니다.

A 계속을 나타내는 현재 완료 시제

'(계속, 죽) ~해 오고 있다'라는 뜻으로 「have/has+과거분사」를 씁니다.
계속된 기간을 나타내기 위해 주로 for(~ 동안), since(~ 이후로) 등의 말과 함께 씁니다.

I **have raised** a hamster for five months. 나는 햄스터 한 마리를 5개월 동안 키우고 있다.

We **have lived** here since 2000. 우리는 2000년부터 여기에서 산다.

She **has been** a dentist for ten years. 그녀는 10년 동안 치과 의사이다.

He **has been** sick since last Sunday. 그는 지난 일요일부터 아프다.

B 부정문

'(계속) ~하지 않고 있다'라는 뜻으로 부정할 때는 「haven't/hasn't+과거분사」로 씁니다.

You **haven't practiced** the violin for two weeks. 너는 2주 동안 바이올린을 연습하고 있지 않다.

She **hasn't seen** her aunt since last year. 그녀는 작년부터 자기 이모를 보지 못하고 있다.

C 의문문

'~해 왔니?', '~했니?'라는 뜻으로 과거부터 현재까지 어떤 일이 계속되고 있는지 물을 때는
「Have/Has+주어+과거분사 ~?」로 나타냅니다.

Have you known Debbie for five years?
너는 데비를 5년 동안 알아 왔니?

Yes, I have. / No, I haven't.
응, 그래.   아니, 그러지 않아.

Has it rained since last month?
비가 지난달부터 오고 있니?

Yes, it has. / No, it hasn't.
응, 그래.   아니, 그러지 않아.

Sunny **has practiced** the violin for two months.

Zack **has practiced** the piano for two months.

Grammar Walk

A 다음 문장에서 「have/has+과거분사」 또는 「haven't/hasn't+과거분사」를 찾아 밑줄을 치고,
계속된 기간 또는 시간을 나타내는 말을 찾아 동그라미 하세요.

1 My aunt <u>has lived</u> in New York ⟨for 15 years⟩.
우리 이모는 15년 동안 뉴욕에 살고 계신다.

2 It has snowed a lot since last weekend.
지난 주말부터 눈이 많이 온다.

3 The tigers have slept for one hour.
그 호랑이들은 한 시간 동안 자고 있다.

4 They have practiced ballet for two hours.
그들은 두 시간 동안 발레를 연습하고 있다.

5 We haven't seen Ted since yesterday.
우리는 어제부터 테드를 보지 못하고 있다.

6 I haven't listened to the radio since September.
나는 9월부터 라디오를 듣지 않는다.

7 The monkey hasn't eaten bananas for two weeks.
그 원숭이는 2주 동안 바나나를 먹지 않고 있다.

8 Jack hasn't written in his diary since last Friday.
잭은 지난 금요일부터 일기를 쓰지 않는다.

The tigers have slept for one hour.는 한 시간 전부터 자기 시작해서 현재도 계속 자고 있다는 의미야.

B 다음 의문문에 대한 알맞은 대답을 찾아 선으로 연결하세요.

1 Has it rained since this morning? —————— **a.** Yes, it has.
비가 오늘 아침부터 내리고 있니?

2 Has Mr. Smith taught English for five years? · **b.** Yes, they have.
스미스 선생님은 5년 동안 영어를 가르치고 계시니?

3 Have you learned Chinese for two years? · **c.** Yes, she has.
너는 2년 동안 중국어를 배우고 있니?

4 Have they known each other for many years? · **d.** Yes, he has.
그들은 여러 해 동안 서로 알아 왔니?

5 Has your sister played the cello since 2012? · **e.** Yes, I have.
네 여동생은 2012년부터 첼로를 켜 왔니?

WORDS · **for** ~동안 · **since** ~부터, ~이후 · **September** 9월 · **each other** 서로

02 현재 완료 시제 – 결과

현재 완료 시제는 과거에 한 일이나 행동의 결과가 현재까지 그대로 영향을 주고 있음을 나타낼 수 있습니다.

A 결과를 나타내는 현재 완료 시제

'~해 버렸다'라는 뜻으로 「have/has+과거분사」를 씁니다.
'~해 버렸니?'라고 물어볼 때는 「Have/Has+주어+과거분사 ~?」로 씁니다.

They **have gone** to the gym. 그들은 체육관에 가 버렸다. (그 결과 지금 여기에 없다.)

She **has lost** her key. 그녀는 자기 열쇠를 잃어버렸다. (그 결과 지금 열쇠를 가지고 있지 않다.)

Has he **left** his watch at home? 그는 손목시계를 집에 두고 왔니? (그 결과 지금 손목시계를 안 가지고 있니?)

💡 have been to와 have gone to의 차이
   「have/has been to+장소」는 '~에 가 본 적이 있다'(경험)의 의미이며
   「have/has gone to+장소」는 '~에 가고 지금 여기에 없다'(결과)는 의미입니다.

   He **has been to** the museum.   He **has gone to** the museum.
   그는 그 박물관에 가 본 적이 있다.   그는 그 박물관에 가고 여기 없다.

B 과거 시제와 현재 완료 시제의 차이

- **과거 시제**: 과거에 초점을 두어, 과거 어느 때의 동작이나 상태를 나타냅니다.
  과거의 그 일이 현재와 어떤 상관이 있는지 알 수 없고 관심이 없습니다.
- **현재 완료 시제**: 과거의 일이 현재에 어떤 영향을 미치고 있는지 나타냅니다.
  현재 완료 시제는 과거의 특정한 때를 나타내는 말과 함께 쓰일 수 없습니다.

I **lost** my key <u>last week</u>. 〈과거〉 현재 열쇠를 찾았는지 못 찾았는지 알 수 없음.

I **have lost** my key. 〈현재 완료〉 현재 열쇠를 찾지 못했음.

It **rained** <u>yesterday</u>. 〈과거〉 현재 비가 오는지는 알 수 없음.

It **has rained** <u>since yesterday</u>. 〈현재 완료〉 현재도 비가 옴.

Grammar Walk

정답 및 해설 19쪽

A 다음 우리말 뜻을 보고, 「have/has+과거분사」를 찾아 동그라미 하세요.

1 그들은 이탈리아에 가 버렸다. (그래서 현재 여기 없다.)
They (have gone) to Italy.

> 과거에 했던 일이 현재까지 영향을 미칠 때 현재 완료 시제를 써.

2 우리는 우리 강아지를 잃어버렸다. (그래서 현재 강아지가 없다.)
We have lost our puppy.

3 그 자동차는 고장 나 버렸다. (그래서 현재 그 자동차를 탈 수 없다.)
The car has broken down.

4 나는 그의 이름을 잊어버렸다. (그래서 현재 그의 이름을 모른다.)
I have forgotten his name.

5 톰은 살이 많이 빠졌다. (그래서 현재 뚱뚱하지 않다.)
Tom has lost a lot of weight.

6 너는 라켓을 집에 두고 왔니? (그래서 현재 라켓을 가지고 있지 않니?)
Have you left your racket at home?

7 그녀는 팔을 다쳤니? (그래서 현재 팔을 사용할 수 없니?)
Has she hurt her arm?

8 그 우유는 상해 버렸니? (그래서 현재 마실 수가 없니?)
Has the milk gone bad?

B 다음 우리말을 영어로 옮길 때, 알맞은 문장을 찾아 선으로 연결하세요.

1 톰과 제리는 어제 쇼핑하러 갔다. •   • **a.** Tom and Jerry have gone shopping.

2 톰과 제리는 쇼핑하러 가고 없다. •   • **b.** Tom and Jerry went shopping yesterday.

3 그는 작년에 다리가 부러졌다. •   • **c.** He has broken his leg.

4 그는 다리가 부러진 상태이다. •   • **d.** He broke his leg last year.

WORDS · **break down** 고장 나다 · **lose weight** 살이 빠지다 · **hurt** 다치게 하다, 다치다 · **go bad** (음식 등이) 상하다

Grammar Run!

A 다음 문장의 괄호 안에서 알맞은 말을 골라 동그라미 하세요.

1 I have (knew / (known)) the secret for two years.
나는 2년 동안 그 비밀을 알아 왔다.

2 He has (live / lived) in Rome since 2010.
그는 2010년부터 로마에서 산다.

3 It has (rain / rained) since last night.
어젯밤부터 비가 내린다.

4 I have (broke / broken) my leg.
나는 다리가 부러졌다.

5 Yuna has (lost / lose) her cap.
유나는 자기 모자를 잃어버렸다.

6 We have (leave / left) our cat at home.
우리는 집에 우리 고양이를 두고 왔다.

7 Mr. Jones has (went / gone) to the gym.
존슨 씨는 체육관에 가고 안 계신다.

8 Kate hasn't (spoke / spoken) to me since last Monday.
케이트는 지난 월요일부터 내게 말을 하지 않는다.

9 They haven't (meet / met) since last month.
그들은 지난달부터 만나지 않는다.

10 The child hasn't (uses / used) the computer for six months.
그 아이는 6개월 동안 그 컴퓨터를 사용하지 않고 있다.

11 Has he (wore / worn) glasses for a year?
그는 1년 동안 안경을 써 왔니?

12 Have you (has / had) a headache since two o'clock?
너는 2시부터 두통이 있니?

13 Has Barbara (was / been) a reporter for three years?
바버라는 3년 동안 기자니?

14 Have they (sold / sell) the car?
그들은 그 차를 팔아 버렸니?

15 Has he (forget / forgotten) my phone number?
그는 내 전화번호를 잊어버렸니?

I have known the secret for two years.는 내가 2년 전부터 지금까지 그 비밀을 알고 있다는 의미야.

WORDS · **secret** 비밀　· **have a headache** 두통이 있다　· **reporter** 기자　· **sell** 팔다　· **forget** 잊어버리다

B 다음 문장을 보고, 알 수 있는 내용으로 알맞은 것을 고르세요.

1 I have taken ballet lessons for three years.
❶ 나는 지금도 발레 교습을 받는다.   ❷ 나는 지금 발레 교습을 받지 않는다.

2 He has been a pilot for 15 years.
❶ 그는 지금 비행기 조종사이다.   ❷ 그는 지금 비행기 조종사가 아니다.

3 My dog has been sick since yesterday.
❶ 우리 강아지는 지금 아프다.   ❷ 우리 강아지는 지금 아프지 않다.

4 They haven't lived there since last year.
❶ 그들은 지금 그곳에 산다.   ❷ 그들은 지금 그곳에 살지 않는다.

5 Julie and I haven't watched movies for three months.
❶ 줄리와 나는 지금 영화를 본다.   ❷ 줄리와 나는 지금 영화를 보지 않는다.

6 It hasn't rained since last month.
❶ 지금 비가 오지 않는다.   ❷ 지금 비가 온다.

7 We have sold the bike.
❶ 우리는 지금 그 자전거를 가지고 있다.   ❷ 우리는 지금 그 자전거를 가지고 있지 않다.

8 I have broken my leg.
❶ 내 다리는 지금 부러진 상태이다.   ❷ 내 다리는 지금 다 나았다.

9 He has lost his wallet.
❶ 그는 지금 지갑이 없다.   ❷ 그는 지금은 지갑을 찾았다.

10 My sisters have gone to school.
❶ 내 여동생들은 지금 여기 있다.   ❷ 내 여동생들은 지금 여기에 없다.

11 Sunny has forgotten the address.
❶ 서니는 지금 그 주소를 기억하고 있다.   ❷ 서니는 지금 그 주소를 모른다.

12 You have left your umbrella at school.
❶ 너는 지금 우산이 있다.   ❷ 너는 지금 우산이 없다.

 · **pilot** 비행기 조종사   · **watch a movie** 영화를 보다   · **wallet** 지갑   · **address** 주소

Grammar Jump!

A 주어진 말을 사용하여 다음 문장을 완성하세요.

1 She ___has___ ___practiced___ taekwondo since last month. (practice)
그녀는 지난달부터 태권도를 연습해 왔다.

2 We _____ _____ at Bill's house for two days. (stay)
우리는 이틀 동안 빌의 집에서 머물고 있다.

3 Jake _____ _____ the song since the second grade. (know)
제이크는 2학년 때부터 그 노래를 알고 있다.

4 I _____ _____ Max for three years. (raise)
나는 3년 동안 맥스를 키워 왔다.

5 He _____ _____ to New York. (go)
그는 뉴욕에 가고 없다.

6 They _____ _____ the concert tickets. (sell)
그들은 콘서트 입장권을 팔아 버렸다.

7 Jack and Jill _____ _____ all the milk. (drink)
잭과 질이 그 우유를 모두 마셔 버렸다.

8 He _____ _____ the window. (break)
그는 창문을 깨뜨렸다.

9 They _____ not _____ sweets for six months. (eat)
그들은 6개월 동안 단것을 먹지 않고 있다.

10 Mr. Kirk _____ not _____ us since last year. (teach)
커크 선생님은 지난해부터 우리를 가르치시지 않는다.

11 She _____ _____ well for two days. (not, sleep)
그녀는 이틀 동안 잠을 잘 자지 못하고 있다.

12 _____ Mr. and Mrs. Simpson _____ a car since 1997? (have)
심프슨 씨 부부는 1997년부터 차를 가지고 있니?

13 _____ you _____ English since the third grade? (study)
너는 3학년 때부터 영어를 공부해 왔니?

14 _____ she _____ her textbook at home? (leave)
그녀는 집에 교과서를 두고 왔니?

15 _____ he _____ his pet? (lose)
그는 자기 애완동물을 잃어버렸니?

> She has practiced taekwondo since last month.는 그녀는 지난달부터 태권도를 연습하기 시작해서 지금도 연습하고 있다는 뜻이야.

WORDS · **raise** 기르다 · **ticket** 입장권 · **textbook** 교과서 · **leave** ~을 두고 오다[가다] · **lose** 잃어버리다 · **pet** 애완동물

B 다음 중 알맞은 말을 찾아 현재 완료 시제의 문장을 완성하세요.

| flown | seen | been | forgotten | snowed | worn |
| gone | found | played | checked | written | drawn |

1 He ___has___ ___worn___ glasses for two years.
그는 2년 동안 안경을 써 왔다.

2 She _____ _____ here since two o'clock.
그녀는 2시부터 여기에 있다.

3 Angela _____ _____ her purse.
앤절라는 자기 지갑을 찾았다.

4 They _____ _____ to the museum.
그들은 박물관에 가고 없다.

5 I _____ not _____ my e-mail for a week.
나는 일주일 동안 이메일을 확인하지 않고 있다.

6 Jeff _____ not _____ a picture since June.
제프는 6월부터 그림을 그리지 않고 있다.

7 They _____ not _____ computer games since last week.
그들은 지난주부터 컴퓨터 게임을 하지 않고 있다.

8 Jack and Sunny _____ not _____ Max for a week.
잭과 서니는 일주일 동안 맥스를 보지 못하고 있다.

9 _____ it _____ a lot since yesterday?
어제부터 눈이 많이 오니?

10 _____ you _____ children's books for ten years?
너는 10년 동안 어린이 책을 써 왔니?

11 _____ she _____ my name?
그녀는 내 이름을 잊어버렸니?

12 _____ the wild goose _____ north?
그 기러기는 북쪽으로 날아가 버렸니?

> He has worn glasses for two years.는 2년 전부터 안경을 쓰기 시작해서 지금까지 안경을 쓰고 있다는 의미야.

WORDS · **purse** 지갑 · **check** 살피다, 확인하다 · **wild goose** 기러기 · **north** 북쪽으로

Grammar Fly! · · · · · · · · · · · · · · · · · ·

A 다음 문장의 밑줄 친 부분을 바르게 고쳐 빈칸에 쓰세요.

1 We <u>has</u> raised a hamster for four years. ➡ _____have_____

2 My aunt <u>have</u> lived in India since 2000. ➡ _____

3 She has <u>learn</u> Chinese for three years. ➡ _____

4 My brothers have <u>be</u> sick since last weekend. ➡ _____

5 You have <u>ate</u> all the bread. ➡ _____

6 James <u>have</u> lost his watch. ➡ _____

7 I have <u>leave</u> my backpack on the bus. ➡ _____

8 Mom has <u>went</u> shopping. ➡ _____

9 Bella <u>didn't</u> played computer games for two weeks. ➡ _____

10 I <u>hasn't</u> had a cold since last year. ➡ _____

11 Paul <u>not has</u> bought a new shirt since last month. ➡ _____ _____

12 <u>Did</u> Jack swum for five years? ➡ _____

13 <u>Has</u> you seen Thomas since the party? ➡ _____

14 Have you <u>forget</u> the password? ➡ _____

15 Has she <u>broke</u> her glasses? ➡ _____

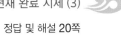

B   주어진 말을 바르게 배열하여 문장을 쓰세요.

1 (for ten years / she / has / taken piano lessons / .) 그녀는 10년 동안 피아노 교습을 받아 왔다.

➡ _She has taken piano lessons for ten years._

2 (stayed at my house / Grandma / since last month / has / .)
할머니는 지난달부터 우리 집에 머무르고 계신다.

➡ _____

3 (they / have / since 2010 / known Ben / .) 그들은 벤을 2010년부터 알아 왔다.

➡ _____

4 (broken / Diana / the cup / has / .) 다이애나가 컵을 깨뜨렸다.

➡ _____

5 (my English teacher / gone / has / to London / .) 우리 영어 선생님은 런던으로 가 버리셨다.

➡ _____

6 (left her umbrella / has / she / at school / .) 그녀는 자기 우산을 학교에 두고 왔다.

➡ _____

7 (Tom / for a month / has not / cleaned his room / .) 톰은 한 달 동안 자기 방을 청소하지 않고 있다.

➡ _____

8 (hasn't / since last year / washed his car / he / .) 그는 지난해부터 자기 차를 세차하지 않는다.

➡ _____

9 (written / a letter / haven't / I / since June / .) 나는 6월부터 편지를 쓰지 않는다.

➡ _____

10 (it / since last night / has / rained a lot / ?) 비가 어젯밤부터 많이 내리니?

➡ _____

11 (for three weeks / been busy / has / she / ?) 그녀는 3주 동안 바쁘니?

➡ _____

12 (the painting / sold / have / they / ?) 그들은 그 그림을 팔아 버렸니?

➡ _____

13 (have / you / an eraser / lost / ?) 너는 지우개를 잃어버렸니?

➡ _____

Grammar & Writing

A 정보 활용하기 사람들이 분실물 센터에 물건을 찾으러 왔습니다. 사진을 보고, 어떤 물건을 잃어버려서 왔는지 주어진 말을 사용하여 현재 완료 시제의 문장을 완성하세요.

1

(his wallet)
The man _____has lost his wallet_____.

2

(her umbrella)
The girl _____.

3

(their cat)
They _____.

4

(her cell phone)
The lady _____.

5

(his cap)
The boy _____.

6

(her gloves)
The woman _____.

 WORDS · **cell phone** 휴대 전화 · **lady** 여성, 숙녀 · **glove** 장갑

B 정보 활용하기 다음은 다섯 명의 스포츠 스타를 인터뷰한 내용입니다. 그림을 보고, 운동을 얼마나 오랫동안 해 왔는지 대화를 완성하세요.

11 years　　7 years　　10 years　　13 years　　9 years

1　**Q:** ___Have___ you ___played___ baseball for ___eleven___ years?
　A: Yes, I have. I have played baseball since the third grade.

2　**Q:** _____ you _____ for five years?
　A: No, I haven't. I have skated for _____ years.

3　**Q:** _____ you _____ a horse for _____ years?
　A: Yes, I have. I have ridden a horse since kindergarten.

4　**Q:** _____ you _____ for a long time?
　A: Yes, I have. I have swum for _____ years.

5　**Q:** _____ you _____ for ten years?
　A: No, I haven't. I have skied for _____ years.

WORDS　· **for a long time** 오랫동안　· **ski** 스키를 타다

UNIT TEST 05

[1-2] 다음 중 동사원형과 과거분사형이 <u>잘못</u> 짝지어진 것을 고르세요.

1 ❶ study – studied ❷ play – played ❸ stay – stayed
   ❹ live – lived ❺ raise – raised

2 ❶ leave – left ❷ lose – lost ❸ feel – felt
   ❹ sleep – slept ❺ sell – selt

[3-5] 다음 문장의 빈칸에 알맞은 말을 고르세요.

3 We _____ known the secret for a year. 우리는 1년 동안 그 비밀을 알아 왔다.

   ❶ did ❷ do ❸ does ❹ have ❺ has

4 It _____ snowed since last winter. 지난 겨울부터 눈이 오지 않는다.

   ❶ don't ❷ doesn't ❸ didn't ❹ haven't ❺ hasn't

5 _____ the meat gone bad? 그 고기는 상해 버렸니?

   ❶ Did ❷ Do ❸ Does ❹ Has ❺ Have

[6 – 7] 다음 중 밑줄 친 부분이 <u>잘못된</u> 문장을 고르세요.

6 ❶ Bob has <u>broken</u> the window.　❷ She has <u>forgotten</u> the password.
❸ He has <u>worn</u> glasses for ten months.　❹ I have <u>swimed</u> for two years.
❺ We haven't <u>seen</u> Jasmine since Friday.

7 ❶ I <u>have lost</u> my key.
❷ He <u>has left</u> his cap on the bench.
❸ He <u>has taught not</u> us since last month.
❹ She <u>hasn't felt</u> well for three days.
❺ They <u>haven't ridden</u> a bike since last year.

8 다음 대화의 빈칸에 알맞은 말을 고르세요.

> **A:** Have you left your homework at home? 너는 숙제를 집에 두고 왔니?
> **B:** ＿＿＿＿＿＿＿＿＿＿ 응, 그래.

❶ Yes, I do.　　　❷ Yes, I did.　　　❸ Yes, I have.
❹ Yes, I had.　　　❺ Yes, I was.

[9 – 10] 다음 문장의 빈칸에 공통으로 알맞은 말을 고르세요.

9
> • My dog ＿＿＿＿＿ broken his leg. 우리 개는 다리가 부러져 버렸다.
> • ＿＿＿＿＿ he lost his wallet? 그는 자기 지갑을 잃어버렸니?

❶ does[Does]　　　❷ do[Do]　　　❸ has[Has]
❹ have[Have]　　　❺ haven't[Haven't]

10

- I _____ seen a dentist for two years. 나는 2년 동안 치과에 다니지 않고 있다.
- The children _____ brushed their teeth since yesterday.
그 아이들은 어제부터 이를 닦지 않고 있다.

❶ doesn't   ❷ don't   ❸ didn't   ❹ hasn't   ❺ haven't

[11-12] 다음 우리말을 영어로 바르게 옮긴 것을 고르세요.

11

나는 2학년 때부터 발레를 연습해 왔다.

❶ I practice ballet since the second grade.

❷ I practices ballet since the second grade.

❸ I have practiced ballet since the second grade.

❹ I was practicing ballet since the second grade.

❺ I will practice ballet since the second grade.

12

그녀는 학교에 가고 없다.

❶ She goes to school.   ❷ She went to school.

❸ She has gone to school.   ❹ She has been to school.

❺ She will go to school.

[13-14] 다음 문장을 괄호 안의 지시대로 바꿔 쓸 때 빈칸에 알맞은 말을 고르세요.

13

It has been cold since Sunday. (부정문)
➡ It _____ cold since Sunday.

❶ haven't been   ❷ haven't was   ❸ hasn't is

❹ hasn't were   ❺ hasn't been

14

You have played the cello for ten years. (의문문)

➡ _____ you _____ the cello for ten years?

❶ Do – play ❷ Have – played ❸ Has – played

❹ Did – play ❺ Were – playing

[15-17] 다음 대화의 괄호 안에서 알맞은 말을 고르세요.

15

A: You look tired.

B: I haven't (sleep / slept) well for a week.

16

A: Let's play soccer.

B: Sorry, I can't. I (have / has) broken my leg.

17

A: Has Ruth left her umbrella at school?

B: Yes, she (has / had).

[18-20] 다음 문장의 밑줄 친 부분을 바르게 고쳐 문장을 완성하세요.

18

They <u>has went</u> to New York. They are still in New York.

➡ They _____ _____ to New York.

19

> He <u>has broke</u> his arm. He can't play tennis.

➡ He _____ _____ his arm.

20

> Amy <u>didn't washed</u> her car since last week. The car is dirty.

➡ Amy _____ _____ her car since last week.

[21 – 25] 다음 우리말 뜻과 같도록 주어진 말을 사용하여 현재 완료 시제의 문장을 완성하세요.

21 엄마는 쇼핑 가고 안 계신다. (go)
➡ Mom _____ _____ shopping.

22 그는 살이 많이 빠졌다. (lose)
➡ He _____ _____ a lot of weight.

23 나는 그를 어제부터 보지 못하고 있다. (see)
➡ I _____ _____ him since yesterday.

24 그녀는 6년 동안 소방관이니? (be)
➡ _____ she _____ a firefighter for six years?

25 너는 내 이름을 잊어버렸니? (forget)
➡ _____ you _____ my name?

WRAP UP

1 계속을 나타내는 현재 완료 시제

1[_____]부터 2[_____]까지 계속되고 있는 일이나 상태를 말할 때 '(계속, 죽) ~해 오고 있다'라는 뜻으로 현재 완료 시제를 쓸 수 있다. 3[_____](~ 동안), 4[_____](~ 이후로) 등과 함께 쓰인다.

2 결과를 나타내는 현재 완료 시제

1[_____]에 한 일의 결과가 2[_____]에 영향을 주고 있을 때 현재 완료 시제를 쓸 수 있다.

3 과거 시제와 현재 완료 시제의 차이

❶ 과거 시제: 1[_____] 어느 때의 동작이나 상태를 나타낸다. 과거의 그 일이 현재와 어떤 상관이 있는지 알 수 없고 관심이 없다.

❷ 현재 완료 시제: 2[_____]의 일이 3[_____]에 어떤 영향을 미치고 있는지 나타낸다.

Check Up 그림을 보고, 알맞은 말을 찾아 다음 대화의 빈칸에 쓰세요.

haven't　　　forgotten　　　have　　　checked

06 전치사

엄마가 친구분과 약속을 잡고 계신다.

언제 어디에서 만나시는지
명사 앞에 붙여 때와 장소를 말하는
전치사에 귀 기울여 볼까?

I'm free **on Sunday**.

요일 앞에는 때를 말하는
전치사 on을 쓴다.

일요일에 만나시는구나.

At 1:00 p.m.?

시각 앞에는 때를 말하는
전치사 at을 써서
오후 1시.

Behind the post office.

I'm **beside** the post office.

드디어 일요일.

약속 장소에 나가신 엄마가
책상 위 메모를 봐 달라고
전화하셨다.

behind는 '~ 뒤에'이고
beside는 '~ 옆에'인데,
휴대 전화도 없으시다는
친구분과 하마터면
못 만나실 뻔했다.

POST OFFICE

엄마가 안 계시는 동안
나는 시경이와 농구나 해야겠다.

언제 어디에서 시경이와 만날지
전치사를 사용해 약속을 정해야지.

시간을 나타내는 전치사

전치사는 「전치사+명사(구)」의 형태로 문장에서 시간을 나타낼 수 있습니다.

A at, on, in

at	on	in
(구체적인 시각, 특정한 때)에	(요일, 날짜, 명절, 특별한 날)에	(연도, 계절, 달, 오전, 오후, 저녁)에

I got up **at seven thirty**. 나는 7시 30분에 일어났다.

We have a test **on Wednesday**. 우리는 수요일에 시험이 있다.

The store opened **on August 10**. 그 가게는 8월 10일에 열었다.

Valentine's Day is **in February**. 밸런타인데이는 2월에 있다.

Mom exercises **in the evening**. 엄마는 저녁에 운동하신다.

B before, after, for, during, from A to B

before	after	for+시간	during+기간	from A to B
~ 전에	~ 후에	~ 동안, ~ 중에	~ 동안	A부터 B까지

I brush my teeth **before bed**. 나는 잠자기 전에 이를 닦는다.

Let's play soccer **after school**. 방과 후에 축구하자.

They traveled **for two weeks**. 그들은 2주 동안 여행했다.

Bats sleep **during the day**. 박쥐는 낮 동안 잠을 잔다.

The museum opens **from Tuesday to Sunday**. 그 박물관은 화요일부터 일요일까지 연다.

Snowie sleeps **during the day**.

He barks **at night**.

Grammar Walk

정답 및 해설 22쪽

A 다음 문장에서 시간을 나타내는 「전치사+명사」를 찾아 동그라미 하세요.

1 The baby cries (at night).

2 She has a piano lesson on Monday.

3 Summer starts in July.

4 I read a book before bed.

5 They didn't speak during the meal.

6 The park opens from 6 a.m. to 10 p.m.

at < on < in 의 순서로
뒤에 오는 시간의 단위가
점점 커져.

B 다음 문장의 괄호 안에서 알맞은 말을 골라 동그라미 하세요.

1 My class begins ((at) / on) nine o'clock.

2 We visited the museum (on / in) January 6.

3 I get up early (on / in) the morning.

4 The birds come here (at / in) the spring.

5 I will call you again (on / after) school.

6 He practiced the violin (for / during) two hours.

7 Bears sleep (at / during) the winter.

8 We can swim in the river from June (in / to) August.

'~ 동안'이라는 뜻의 for
뒤에는 「숫자+명사」 또는
복수명사가 오고, during 뒤
에는 「(the)+명사」가 와.

WORDS · July 7월 · meal 식사 · a.m. 오전 · p.m. 오후 · begin 시작하다

02 장소/위치를 나타내는 전치사

전치사는 「전치사+명사(구)/대명사」의 형태로 문장에서 사람이나 사물의 장소 또는 위치를 나타낼 수 있습니다.

A at, on, in

at	on	in
(좁은 장소나 지점)에	(사물의 표면) 위에, (도로)에	(넓은 장소나 지역)에

Look at that boy **at the bus stop**. 버스 정류장에 있는 저 남자아이를 봐.

There is water **on the floor**. 바닥 위에 물이 있다.

Put a pencil **in your pencil case**. 연필을 네 필통 안에 넣어라.

My aunt lives **in New Zealand**. 우리 이모는 뉴질랜드에 사신다.

B 그 밖의 장소/위치 전치사

in front of	over		behind
~ 앞에	(떨어져서) ~ 위에		~ 뒤에

under	next to, beside, by	between	among
~ 아래에	~ 옆에	(둘) 사이에	(셋 이상의) 사이에

Let's meet **in front of the library**. 도서관 앞에서 만나자.

There is a lake **behind the hospital**. 그 병원 뒤에 호수가 있다.

Our school is **next to[beside/by] the park**. 우리 학교는 공원 옆에 있다.

Look at the bridge **over the river**. 강 위에 있는 다리를 봐.

She sat **between her parents**. 그녀는 자기 부모님 사이에 앉았다.

I found Jane **among the people**. 나는 그 사람들 사이에서 제인을 발견했다.

Grammar Walk

정답 및 해설 22~23쪽

A 다음 문장에서 장소를 나타내는 「전치사+명사(구)」를 찾아 동그라미 하세요.

1 People are waiting (at the bus stop).

2 Don't sit on the grass.

3 A cat is in the toy box.

4 The car is in front of the truck.

5 Look behind the sofa.

6 The library is next to the park.

어떤 사물의 표면에 접촉한 상태로 '~ 위에'라는 뜻을 나타낼 때는 on을, 사물에서 떨어진 상태로 '~ 위에'라는 뜻을 나타낼 때는 over를 써.

B 다음 문장의 괄호 안에서 알맞은 말을 골라 동그라미 하세요.

1 I will stay ((at) / in) home.

2 There is a butterfly (at / on) her nose.

3 They lived (on / in) Japan last year.

4 He is standing (over / in front of) the Eiffel Tower.

5 Please sit (next to / between) him.

6 An apple is (among / between) two glasses.

7 She chose a teddy bear (among / between) lots of toys.

8 There is a bridge (over / under) the river.

between 다음에는 주로 두 사람 또는 두 개의 사물이 오고, among 다음에는 셋 이상의 사람이나 사물이 와.

WORDS
· **grass** 잔디(밭) · **butterfly** 나비 · **the Eiffel Tower** 에펠 탑 · **choose** 선택하다 · **bridge** 다리

Grammar Run! ....

A 다음 문장의 빈칸에 알맞은 말을 골라 동그라미 하세요.

1   Let's meet _____ noon.   **①** at   **②** on
    정오에 만나자.

2   We go to a nice restaurant _____ my birthday.   **①** in   **②** on
    우리는 내 생일에 멋진 레스토랑에 간다.

3   They played soccer _____ two hours.   **①** in   **②** for
    그들은 두 시간 동안 축구를 했다.

4   The flower blooms from spring _____ fall.   **①** to   **②** in
    그 꽃은 봄부터 가을까지 핀다.

5   It will be cloudy _____ the afternoon.   **①** in   **②** at
    오후에는 날씨가 흐릴 것이다.

6   We went camping _____ the vacation.   **①** during   **②** to
    우리는 방학 동안 캠핑하러 갔다.

7   Come home _____ dinner.   **①** during   **②** before
    저녁 식사 전에 집에 와라.

8   He helps his parents _____ school.   **①** at   **②** after
    그는 방과 후에 자기 부모님을 도와 드린다.

9   There is a bench _____ the two trees.   **①** between   **②** among
    그 두 나무 사이에 벤치가 하나 있다.

10 The eagles are flying _____ the farm.   **①** on   **②** over
    독수리들이 농장 위를 날고 있다.

11 A cat is _____ the door.   **①** at   **②** on
    고양이 한 마리가 현관에 있다.

12 The shy boy couldn't talk _____ girls.   **①** under   **②** in front of
    그 수줍은 남자아이는 여자아이들 앞에서 말을 할 수 없었다.

13 Jane is walking _____ us.   **①** behind   **②** beside
    제인이 우리 뒤에서 걷고 있다.

14 There is a bank _____ the supermarket.   **①** next   **②** next to
    그 슈퍼마켓 옆에 은행이 하나 있다.

15 Elizabeth is popular _____ the girls.   **①** in   **②** among
    엘리자베스가 여자아이들 사이에서 인기가 있다.

WORDS · **bloom** 꽃이 피다   · **vacation** 방학   · **eagle** 독수리   · **shy** 수줍은   · **popular** 인기 있는

B 다음 문장에서 밑줄 친 부분의 우리말 뜻을 빈칸에 쓰세요.

1   The library opens <u>on Sunday</u>.　　➡　　　일요일에

2   Ted has lunch <u>at 12:30</u>.　　➡

3   Dad comes home early <u>in the evening</u>.　　➡

4   We wash our hands <u>before lunch</u>.　　➡

5   I walked home <u>after the party</u>.　　➡

6   You may not use your phone <u>during the class</u>.　　➡

7   They watched television <u>for three hours</u>.　　➡

8   He traveled <u>from March 1 to April 30</u>.　　➡

9   Don't sit <u>on the table</u>.　　➡

10   The car stopped <u>in front of our house</u>.　　➡

11   The boy sat <u>between his parents</u>.　　➡

12   The balloons are flying <u>over the trees</u>.　　➡

13   She baked the cookies <u>at home</u>.　　➡

14   The kid hid <u>behind the curtain</u>.　　➡

15   Let's hang the picture <u>on the wall</u>.　　➡

WORDS　　· class 수업　　· travel 여행하다　　· stop 멈추다, 서다　　· hide 숨다　　· hang 걸다　　· wall 벽

Grammar Jump!

A 다음 중 알맞은 말을 찾아 문장을 완성하세요. 중복해서 사용할 수 있어요.

in	on	at

1 Joe wrote the letter _____on_____ November 21.

조는 11월 21일에 그 편지를 썼다.

2 The phone rang _____ midnight.

한밤중에 전화가 울렸다.

3 The concert will start _____ 8 p.m.

그 콘서트는 오후 8시에 시작할 것이다.

4 My sister will be seven years old _____ 2019.

내 여동생은 2019년에 일곱 살이 될 것이다.

5 Halloween is _____ October.

핼러윈은 10월에 있다.

6 They eat turkey _____ Thanksgiving Day.

그들은 추수 감사절에 칠면조를 먹는다.

7 There is water _____ the floor.

바닥에 물이 있다.

8 Let's meet _____ the bus stop.

버스 정류장에서 만나자.

9 Mom is cooking _____ the kitchen.

엄마는 부엌에서 요리하고 계신다.

10 A few trucks are _____ the road.

트럭 몇 대가 도로에 있다.

11 Your friend is _____ the door.

네 친구가 현관에 있다.

12 They speak English and French _____ Canada.

캐나다에서는 영어와 프랑스 어를 말한다.

> 연도만 말할 때는 in을 쓰지만, 연도를 포함해서 날짜를 말할 때는 on을 써야 해.

WORDS · **ring** 울리다 · **midnight** 자정(밤 12시) · **turkey** 칠면조, 칠면조 고기 · **Thanksgiving Day** 추수 감사절 · **road** 도로

B 주어진 말과 알맞은 전치사를 사용하여 다음 문장을 완성하세요.

1 We went home ___after___ ___the___ ___movie___ . (the movie)
우리는 영화가 끝난 후에 집에 갔다.

2 Jake brushes his teeth _____ _____ . (dinner)
제이크는 저녁 식사 후에 이를 닦는다.

3 It rained heavily _____ _____ . (the night)
밤 동안 비가 아주 많이 왔다.

4 Snowie often sleeps _____ _____ . (the day)
스노위는 자주 낮 동안 잠을 잔다.

5 My dad works _____ _____ to 5 p.m. (9 a.m.)
우리 아빠는 오전 9시부터 오후 5시까지 일하신다.

6 We looked for our puppy _____ _____ _____ . (three hours)
우리는 세 시간 동안 우리 강아지를 찾았다.

7 They don't exercise _____ _____ . (bed)
그들은 잠자리에 들기 전에 운동을 하지 않는다.

8 Seagulls are flying _____ _____ . (the sea)
갈매기들이 바다 위를 날고 있다.

9 There is a library _____ _____ _____ _____ . (the museum)
그 박물관 옆에 도서관이 하나 있다.

10 Britney read a book _____ _____ _____ . (Jack)
브리트니는 책 옆에서 책을 읽었다.

> 전치사 다음에 대명사가 올 경우, 대명사의 목적격을 쓴다는 것 잊지 마!
> She sat next to **me**. (○)

11 Yuna was standing _____ _____ . (us)
유나가 우리 뒤에 서 있었다.

12 A bird built a nest _____ _____ . (the roof)
새 한 마리가 지붕 아래에 둥지를 지었다.

13 A fountain is _____ _____ . (the school)
분수대 하나가 학교 앞에 있다.

14 He picked *Harry Potter* _____ _____ _____ . (lots of books)
그는 많은 책들 중에서 『해리 포터』를 골랐다.

15 There is a table _____ _____ . (two chairs)
두 의자 사이에 탁자가 하나 있다.

WORDS · **look for** ～을 찾다 · **seagull** 갈매기 · **fountain** 분수대 · **pick** 고르다

Grammar Fly!

A 다음 문장의 밑줄 친 부분을 바르게 고쳐 문장을 다시 쓰세요.

1 My grandmother takes a shower <u>at the</u> morning. 우리 할머니는 아침에 샤워하신다.
➡ <u>My grandmother takes a shower in the morning.</u>

2 I visited the museum <u>at</u> the vacation. 나는 방학 동안 그 박물관을 방문했다.
➡ _____

3 We will go camping <u>during</u> ten days. 우리는 10일 동안 캠핑을 갈 것이다.
➡ _____

4 School will close <u>to</u> Thursday <u>from</u> Sunday. 학교는 목요일부터 일요일까지 문을 닫을 것이다.
➡ _____

5 I write in my diary <u>behind</u> bed. 나는 잠자리에 들기 전에 일기를 쓴다.
➡ _____

6 She is <u>in</u> home. 그녀는 집에 있다.
➡ _____

7 Miles is standing <u>by</u> the bakery. 마일스가 제과점 앞에 서 있다.
➡ _____

8 Blackie was sleeping <u>on</u> the tree. 블래키가 나무 아래에서 자고 있었다.
➡ _____

9 Pad sat <u>among</u> Billy and me. 패드는 빌리와 나 사이에 앉았다.
➡ _____

10 They are skating <u>over</u> the ice. 그들은 얼음 위에서 스케이트를 타고 있다.
➡ _____

11 The puppy is hiding <u>beside</u> the curtain. 그 강아지는 커튼 뒤에 숨어 있다.
➡ _____

12 There is a lake <u>behind</u> my house. 우리 집 옆에 호수가 하나 있다.
➡ _____

WORDS · **take a shower** 샤워하다 · **vacation** 방학 · **write in one's diary** 일기를 쓰다 · **stand** 서다, 서 있다

B 주어진 말을 바르게 배열하여 문장을 쓰세요.

1 (my dad / exercises / the evening / in / .) 우리 아빠는 저녁에 운동하신다.
➡ _My dad exercises in the evening._

2 (I / dinner / do my homework / after / .) 나는 저녁 식사 후에 숙제를 한다.
➡ _____

3 (will close / the shop / three days / for / .) 그 가게는 3일 동안 문을 닫을 것이다.
➡ _____

4 (on / it / snowed / my birthday / .) 내 생일에 눈이 왔다.
➡ _____

5 (from / the flower / blooms / fall / to / spring / .) 그 꽃은 봄부터 가을까지 핀다.
➡ _____

6 (doesn't bark / night / at / my puppy / .) 우리 강아지는 밤에 짖지 않는다.
➡ _____

7 (chose a rose / among / she / lots of flowers / .) 그녀는 많은 꽃 중에서 장미를 선택했다.
➡ _____

8 (the library / I / in front of / met Sue / .) 나는 도서관 앞에서 수를 만났다.
➡ _____

9 (me / next to / Anne / sits / .) 앤은 내 옆에 앉는다.
➡ _____

10 (the bird / was flying / the tree / over / .) 그 새는 나무 위를 날고 있었다.
➡ _____

11 (under / the tree / a man / is standing / .) 한 남자가 나무 아래에 서 있다.
➡ _____

12 (a lot of cars / the road / there are / on / .) 도로에 차들이 많다.
➡ _____

 · **exercise** 운동하다 · **shop** 가게, 상점 · **bark** 짖다

전치사 **127**

Grammar & Writing

A 정보 활용하기 올리비아와 친구들이 여러 파티의 초대장을 만들었습니다. 초대장을 보고, 다음 문장을 완성하세요.

1 The pajama party is ____on____
____May____ ____28____.

2 They will have the party _____
_____ _____.

3 The Halloween party will start _____
_____ _____ today.

4 They will have the party at the haunted house _____ _____ _____
_____.

5 They will have Jack's birthday party
_____ _____.

6 They will have the party _____
_____ _____.

WORDS · pajama party 파자마 파티 · haunted house 유령 나오는 집 · garden 정원

B 그림 묘사하기 존이 마을 지도를 그렸습니다. 지도를 보고, 무엇이 어디에 있는지 설명하는 문장을 완성하세요.

1 The library is _____on_____ Main Street.

2 There is a fountain _____ _____ _____ City Hall.

3 City Hall is _____ the fountain.

4 The school is _____ First Avenue.

5 The hospital is _____ City Hall _____ the school.

6 There is a park _____ _____ the school.

 · **library** 도서관   · **street** (동서로 가로지르는) 거리, 도로   · **City Hall** 시청   · **avenue** (남북으로 가로지르는) 거리

UNIT TEST 06

[1 – 3] 다음 문장의 빈칸에 알맞은 말을 고르세요.

1

> It will be cloudy _____ the afternoon. 오후에는 흐릴 것이다.

❶ on　　　　❷ in　　　　❸ at　　　　❹ to　　　　❺ between

2

> The phone rang _____ 6 a.m. 오전 6시에 전화가 울렸다.

❶ on　　　　❷ in　　　　❸ at　　　　❹ to　　　　❺ between

3

> Don't sit _____ the desk. 책상 위에 앉지 마라.

❶ on　　　　❷ in　　　　❸ at　　　　❹ to　　　　❺ between

4 다음 중 밑줄 친 부분이 잘못된 문장을 고르세요.

❶ Jack watched TV for ten hours.

❷ It snowed in my birthday.

❸ Some animals sleep during the winter.

❹ I go to the bathroom before class.

❺ She has a piano lesson after school.

5 다음 중 빈칸에 들어갈 말이 <u>다른</u> 문장을 고르세요.

❶ Halloween is _____ October.

❷ My aunt lives _____ New Zealand.

❸ It is hot _____ summer.

❹ The wolf cried _____ night.

❺ My brother takes a shower _____ the morning.

[6-8] 다음 문장의 빈칸에 공통으로 알맞은 말을 고르세요.

6

- My grandma gets up _____ 4 a.m. 우리 할머니는 오전 4시에 일어나신다.
- Karen stayed _____ home all day. 캐런은 온종일 집에 머물렀다.

❶ on   ❷ in   ❸ during   ❹ at   ❺ for

7

- School begins _____ March. 학교는 3월에 시작한다.
- Mom cooked dinner _____ the kitchen. 엄마는 부엌에서 저녁 식사를 요리하셨다.

❶ on   ❷ in   ❸ during   ❹ at   ❺ for

8

- The library closes _____ Monday. 그 도서관은 월요일에 문을 닫는다.
- Let's hang the picture _____ the wall. 벽에 그 그림을 걸자.

❶ on   ❷ in   ❸ during   ❹ at   ❺ for

[9 – 10] 다음 문장의 빈칸에 들어갈 말이 순서대로 바르게 짝지어진 것을 고르세요.

9

> • There is a bridge _____ the river.
> • They were standing _____ the roof.

❶ under – under ❷ over – over ❸ behind – between

❹ over – under ❺ under – over

10

> • They traveled _____ a week.
> • My dad comes home _____ dinner.

❶ for – at ❷ during – on ❸ for – from

❹ during – to ❺ for – before

[11 – 12] 다음 문장의 우리말 뜻으로 알맞은 것을 고르세요.

11

> The library is behind City Hall.

❶ 도서관은 시청 옆에 있다. ❷ 도서관은 시청 뒤에 있다.

❸ 도서관은 시청 앞에 있다. ❹ 도서관은 시청 안에 있다.

❺ 도서관은 시청 사이에 있다.

12

> I waited for Paul from 3 p.m. to 5 p.m.

❶ 나는 폴을 오후 3시와 5시 사이에 기다렸다. ❷ 나는 폴을 오후 3시부터 5시까지 기다렸다.

❸ 나는 폴을 오후 5시 전에 기다렸다. ❹ 나는 폴을 오후 5시 후에 기다렸다.

❺ 나는 폴을 오후 3시까지 기다렸다.

[13-14] 다음 우리말을 영어로 바르게 옮긴 것을 고르세요.

13

> 나는 잠자리에 들기 전에 일기를 쓴다.

❶ I write in my diary on the bed.　　❷ I write in my diary before bed.

❸ I write in my diary after school.　　❹ I write in my diary for hours.

❺ I write in my diary at night.

14

> 그녀는 장난감들 사이에서 그 인형을 발견했다.

❶ She found the doll behind the toys.　　❷ She found the doll on the toys.

❸ She found the doll by the toys.　　❹ She found the doll among the toys.

❺ She found the doll under the toys.

[15-17] 다음 대화의 빈칸에 알맞은 말을 고르세요.

15

> A: When do you play soccer? 너는 언제 축구를 하니?
>
> B: I play soccer (after / on) school. 나는 방과 후에 축구를 한다.

16

> A: Where does your cat sleep? 너희 고양이는 어디에서 자니?
>
> B: She sleeps (under / between) my bed. 내 침대 아래에서 잔다.

17

> A: When did you visit your grandmother? 너희는 할머니를 언제 찾아뵈었니?
>
> B: We visited her (during / for) the vacation. 우리는 방학 동안 할머니를 찾아뵈었다.

[18 – 20] 다음 문장의 밑줄 친 부분을 바르게 고쳐 문장을 완성하세요.

18

His dog is walking <u>behind</u> him.

➡ His dog is walking _____ _____ him. 그의 개는 그의 옆에서 걷고 있다.

19

I practiced the violin <u>in</u> two hours.

➡ I practiced the violin _____ two hours. 나는 바이올린을 두 시간 동안 연습했다.

20

The eagle is flying <u>on</u> the tree.

➡ The eagle is flying _____ the tree. 그 독수리는 나무 위를 날고 있다.

[21 – 25] 다음 우리말 뜻과 같도록 주어진 말을 사용하여 문장을 완성하세요.

21 그 가게는 8월 15일에 문을 열었다. (August 15)
➡ The store opened _____ _____ _____ .

22 고흐는 그 그림을 1888년에 끝마쳤다. (1888)
➡ Gogh finished the painting _____ _____ .

23 도로에 트럭이 많다. (the road)
➡ There are lots of trucks _____ _____ _____ .

24 두 나무 사이에 벤치가 하나 있다. (the two trees)
➡ There is a bench _____ _____ _____ .

25 그 학교 앞에 버스 정류장이 하나 있다. (the school)
➡ There is a bus stop _____ _____ _____ .

WRAP UP

정답 및 해설 25쪽

1 시간을 나타내는 전치사

at	(구체적인 시각, 특정한 때)에	1 [ ]	(요일, 날짜, 명절, 특별한 날)에
in	(연도, 계절, 달, 오전, 오후, 저녁)에	from A to B	A부터 B까지
2 [ ]	~ 전에	after	~ 후에
for	(시간) 동안	3 [ ]	(기간) 동안

2 장소/위치를 나타내는 전치사

at	(좁은 장소, 지점)에	on	(표면에 접촉한) 위에
1 [ ]	(비교적 넓은 장소)에, ~ 안에	next to, beside, by	~ 옆에
in front of	~ 앞에	2 [ ]	~ 뒤에
3 [ ]	~ 아래에	over	(표면에서 떨어져) 위에
between	(두 사물/사람) 사이에	4 [ ]	(셋 이상) 사이에

Check Up 그림을 보고, 알맞은 말을 찾아 다음 대화의 빈칸에 쓰세요.

> behind   at   before   after

REVIEW TEST 03

[1-2] 다음 중 빈칸에 들어갈 말이 <u>다른</u> 문장을 고르세요.

1
❶ It _____ been cloudy for four days.

❷ Dad _____ sold the car.

❸ She _____ raised the dog for two years.

❹ My bike _____ broken down.

❺ I _____ played the cello since last year.

2
❶ Mom exercises _____ the evening.

❷ I have some money _____ my pocket.

❸ We stayed for four days _____ London.

❹ She wrote the book _____ 2011.

❺ The museum opens _____ Sunday.

[3-4] 다음 밑줄 친 부분의 우리말 뜻으로 알맞은 것을 고르세요.

3

> They <u>have gone to</u> New York.

❶ 다녀왔다   ❷ 가 본 적이 있다   ❸ 가고 없다   ❹ 갈 것이다   ❺ 간 적이 없다

4

> We went to the beach <u>during the weekend</u>.

❶ 주말 전에   ❷ 주말 이후에   ❸ 주말부터   ❹ 주말 동안   ❺ 주말 사이에

[5-6] 다음 문장의 빈칸에 알맞은 말을 고르세요.

5

> There are lots of cars _____ the road.

❶ on   ❷ over   ❸ at   ❹ to   ❺ between

6

> Let's meet _____ noon.

❶ on ❷ in ❸ at ❹ to ❺ for

[7 – 8] 다음 대화의 빈칸에 알맞은 것을 고르세요.

7

> **A:** My dad became a dentist 15 years ago. He is still a dentist now.
> **B:** Oh, your dad _____ a dentist for 15 years.

❶ are ❷ was ❸ have been

❹ hasn't been ❺ has been

8

> **A:** _____ your bike?
> **B:** Yes, I have. I can't find it.

❶ Do you lose ❷ Did you lose ❸ Did you lost

❹ Have you lose ❺ Have you lost

9 다음 중 밑줄 친 부분이 올바른 문장을 고르세요.

❶ They live <u>on</u> Seoul. ❷ My cat sleeps <u>under</u> the sofa.

❸ Let's hang the picture <u>at</u> the wall. ❹ She is waiting <u>in</u> the bus stop.

❺ We go to school from Monday <u>on</u> Friday.

10 다음 문장에서 밑줄 친 부분의 우리말 뜻이 잘못된 것을 고르세요.

❶ Sit <u>between us</u>. (우리 사이에) ❷ A box is <u>under the table</u>. (탁자 아래에)

❸ The clock is <u>on the wall</u>. (벽에) ❹ Stand <u>behind me</u>. (내 앞에)

❺ Look at the birds <u>over the trees</u>. (나무 위에)

REVIEW TEST 03

[11-12] 다음 문장의 빈칸에 들어갈 말이 순서대로 바르게 짝지어진 것을 고르세요.

11

- We _____ talked to each other for two months.
- He _____ lost a lot of weight.

❶ didn't – did ❷ don't – does ❸ hasn't – have

❹ haven't – has ❺ haven't – have

12

- We went camping _____ ten days.
- I will learn to swim _____ the vacation.

❶ for – from ❷ during – during ❸ from – for

❹ during – for ❺ for – during

[13-14] 다음 중 밑줄 친 부분이 잘못된 문장을 고르세요.

13 ❶ He hasn't written books since last year.

❷ They have sold the cookies.

❸ I have was sick since last night.

❹ She has left the textbook at home.

❺ We haven't practiced the piano since last month.

14 ❶ We walk the dog before dinner. ❷ Joy called her mom after class.

❸ Look at the bridge on the river. ❹ I waited for the bus for an hour.

❺ The boy sat between his parents.

15 다음 우리말 뜻과 같도록 괄호 안에서 알맞은 말을 고르세요.

> 너는 작년부터 그 비밀을 알고 있었니?

➡ Have you (knew / known) the secret since last year?

[16 – 17] 다음 두 문장을 한 문장으로 바꿔 쓸 때, 빈칸에 알맞은 말을 쓰세요.

16

> He forgot the password. He still does not know the password.

➡ He ＿＿＿＿＿＿＿ ＿＿＿＿＿＿＿ the password.

17

> I didn't feel well last week. I'm still sick.

➡ I ＿＿＿＿＿＿＿ ＿＿＿＿＿＿＿ well since last week.

[18 – 20] 다음 주어진 말을 바르게 배열하여 문장을 쓰세요.

18 (I / raised / have / for five months / the hamster / .)

➡ ＿＿＿＿＿＿＿＿＿＿＿＿＿＿＿＿＿＿＿＿＿＿＿

나는 5개월 동안 햄스터를 기르고 있다.

19 (broken / he / has / his arm / ?)

➡ ＿＿＿＿＿＿＿＿＿＿＿＿＿＿＿＿＿＿＿＿＿＿＿

그는 팔이 부러졌니?

20 (the park / next to / is / the library / .)

➡ ＿＿＿＿＿＿＿＿＿＿＿＿＿＿＿＿＿＿＿＿＿＿＿

그 공원은 도서관 옆에 있다.

UNIT 07 재귀대명사

전신 거울이 생겼다.

I'm looking at **myself.**

내가 내 자신을 보고 있는 거니까
'~ 자신'이라는 뜻의 재귀대명사를 써서
myself, 나 자신!

역시 참 잘생겼군.

He loves **himself.**

너무 자화자찬했나? 왠지 쑥스럽다.
그래 시아야, 오빠는 오빠 자신을 사랑한단다.

'그 자신'이라는 뜻의 재귀대명사는
him에 -self를 붙여서 himself를 써.

She drew you **herself.**

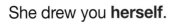

시아가
직접?

시아가 나를 직접 그렸다고?

이렇게 '~ 자신이, 직접'이라는
뜻으로 주어를 강조할 때도
재귀대명사를 쓸 수 있어.

Did you draw it **yourself**?

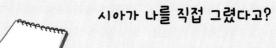

시아에게 '네가 직접 그린 거야?' 하고
되물을 때도 스스로 했다는 걸 강조해서
yourself를 써 줘야지.

그런데 우리 시아.
커서 화가는 하면 안 되겠다.

재귀대명사 **141**

재귀대명사의 의미와 종류

재귀대명사는 주어가 한 행동의 결과가 다시 주어 자신에게 돌아갈 때 사용하는 대명사입니다.

A 재귀대명사의 의미

'~ 자신'이라는 뜻으로 myself, yourself, himself 등이 있습니다. 보통 문장 안에서
주어와 같은 대상을 가리킬 때 재귀대명사를 씁니다.

I love **myself**. 나는 나 자신을 사랑한다.

You must be proud of **yourself**. 너는 틀림없이 너 자신이 자랑스러울 것이다.

The cat licked **itself**. 그 고양이는 자기를 핥았다.

B 재귀대명사의 종류

인칭대명사의 소유격이나 목적격에 -self나 -selves를 붙여 재귀대명사를 만듭니다.

주격	재귀대명사	주격	재귀대명사
I 나	my**self** 나 자신	we 우리	our**selves** 우리 자신
you 너	your**self** 너 자신	you 너희들	your**selves** 너희 자신
he 그	him**self** 그 자신		
she 그녀	her**self** 그녀 자신	they 그들	them**selves** 그들 자신
it 그것	it**self** 그것 자신		

Do you know **yourself**? 너는 너 자신을 아니?

The boy introduced **himself**. 그 남자아이는 자기 자신을 소개했다.

Jane talked about **herself**. 제인은 자기 자신에 대해 말했다.

Babies can't take care of **themselves**. 아기들은 자기 자신을 보살필 수 없다.

Grammar Walk

정답 및 해설 26쪽

A 다음 문장에서 주어를 찾아 밑줄을 치고, 재귀대명사를 찾아 동그라미 하세요.

1 <u>I</u> looked at (myself) in the mirror.

2 Did you knit the sweater yourself?

3 John told us about himself.

4 Ms. Brown cooked dinner herself.

5 My cat always cleans itself.

6 We asked ourselves the question.

7 You and your sister must do your homework yourselves.

8 Some baby animals take care of themselves.

재귀대명사는 주어와 가리키는 대상이 같을 때 써. I looked at myself in the mirror.에서 myself는 주어인 I, 즉 나 자신을 가리키는 거지.

단수인 '너 자신'은 yourself, 복수인 '너희들 자신'은 yourselves로 쓰는 것을 기억해.

B 다음 인칭대명사와 짝이 되는 재귀대명사와 우리말 뜻을 빈칸에 쓰세요.

1 I   <u>myself</u>   <u>나 자신</u>   **2** you (너) _____

3 she _____   **4** he _____

5 it _____   **6** we _____

7 you (너희들) _____   **8** they _____

 WORDS   · **mirror** 거울   · **knit** (실로 옷 등을) 뜨다, 짜다   · **about** ~에 대하여   · **take care of** ~을 돌보다

02 재귀대명사의 역할

재귀대명사는 동사나 전치사의 목적어로 쓸 수 있고, 주어를 강조할 때도 쓸 수 있습니다.

A 목적어로 쓰일 때

재귀대명사는 '자신을, 자신'이라는 뜻으로, 동사나 전치사의 목적어로 쓸 수 있습니다.
이때 재귀대명사는 동사나 전치사 뒤에 쓰고 생략할 수 없습니다.

He introduced **himself** to us. 그는 우리에게 자기 자신을 소개했다.
I wrote about **myself**. 나는 나 자신에 대해 썼다.

B 주어를 강조할 때

재귀대명사는 '자신이, 직접, ~ 자체'라는 뜻으로, 주어 바로 뒤나 문장의 뒤에 써서
주어를 강조할 수 있습니다. 이때 재귀대명사는 생략할 수 있습니다.

I **myself** don't know the answer. 나 자신도 그 답을 모른다.
Sam cooked breakfast **himself**. 샘이 직접 아침 식사를 요리했다.
The boys **themselves** painted the wall. 그 남자아이들이 직접 그 벽을 페인트칠했다.

C 자주 쓰는 재귀대명사 표현

재귀대명사는 다음과 같은 전치사나 동사와 함께 자주 쓰입니다.

by oneself 혼자서, 저절로, 스스로   enjoy oneself 즐거운 시간을 보내다   teach oneself 독학하다
cut oneself 베이다   hurt oneself 다치다   talk to oneself 혼잣말하다
help oneself (to ~) (~을) 마음껏 먹다

Liam came back **by himself**. 리엄은 혼자서 돌아왔다.
Cinderella **enjoyed herself** at the party. 신데렐라는 파티에서 즐거운 시간을 보냈다.

They are at home **by themselves**. They must be hungry.

You **helped yourselves to** all the pizza!

Grammar Walk

정답 및 해설 26~27쪽

A 다음 문장에서 주어를 찾아 밑줄을 치고, 재귀대명사를 찾아 동그라미 하세요.

1 <u>Lisa</u> loves (herself).

2 We saw ourselves on TV.

3 You must take care of yourself.

4 Toby was proud of himself.

5 Christina took pictures of herself.

6 I myself painted the door.

7 You and Kate cooked dinner yourselves.

8 The exam itself isn't difficult.

9 My father and I made the garden ourselves.

10 The kids trained the dog themselves.

주어를 강조할 때 재귀
대명사는 주로 문장 뒤
에 오지만 주어 바로 뒤
에 쓸 수도 있어.

My father and I를 대명
사로 가리키면 We야. 그
래서 we의 재귀대명사인
ourselves를 쓴 거야.

B 다음 주어진 말의 알맞은 우리말 뜻을 찾아 선으로 연결하세요.

1 help oneself to •　　　　　• **a.** 즐거운 시간을 보내다

2 enjoy oneself •　　　　　• **b.** 독학하다

3 by oneself •　　　　　• **c.** 혼자서, 스스로

4 cut oneself •　　　　　• **d.** 베이다

5 teach oneself •　　　　　• **e.** (~을) 마음껏 먹다

 · **be proud of** ~을 자랑스러워하다　· **take pictures of** ~의 사진을 찍다　· **exam** 시험　· **train** 훈련시키다[훈련하다]

Grammar Run! ·

A 다음 문장의 괄호 안에서 알맞은 말을 골라 동그라미 하세요.

1 You may introduce (you / (yourself)).
너는 너 자신을 소개해도 된다.

2 Roy bought (him / himself) a nice cap.
로이는 그 자신을 위해 좋은 모자를 샀다.

주어를 보고 주어와 가리키는 대상이 같으면 재귀대명사를 사용해야 해.

3 We know (us / ourselves).
우리는 우리 자신을 안다.

4 The dog barked at (it / itself) in the mirror.
그 개는 거울에 비친 자기 자신을 향해 짖었다.

5 The girl always talks about (her / herself).
그 여자아이는 언제나 자기 자신에 대해 이야기한다.

6 The children chose the clothes (them / themselves).
그 아이들은 직접 옷을 골랐다.

7 I fixed the computer (me / myself).
나는 그 컴퓨터를 직접 고쳤다.

8 The song (it / itself) is beautiful.
그 노래 자체가 아름답다.

9 My aunt made the sandwich (her / herself).
우리 이모가 직접 그 샌드위치를 만드셨다.

10 Peter and I walked the dog (us / ourselves).
피터와 내가 직접 그 개를 산책시켰다.

11 The boy plays by (him / himself).
그 남자아이는 혼자서 논다.

12 Did you enjoy (you / yourselves) at the party?
너희는 파티에서 즐거운 시간을 보냈니?

13 The horse hurt (it / itself) during the race.
그 말은 경주 중에 다쳤다.

14 I helped (me / myself) to the cookies.
나는 과자를 마음껏 먹었다.

teach oneself 뒤에 to부정사를 쓰면 '~하는 것을 스스로 배우다'라는 뜻이야.

15 Some kids teach (them / themselves) to swim.
몇몇 아이들은 수영하는 것을 스스로 배운다.

 · **bark** 짖다 · **choose** 고르다 · **clothes** 옷 · **hurt** 다치게 하다, 아프게 하다 · **race** 경주

B 다음 문장의 빈칸에 알맞은 말을 골라 동그라미 하세요.

1 I made _____ hot chocolate.
나는 나 자신을 위해 코코아를 만들었다.
❶ me   ②myself

2 Will you tell me about _____ ?
내게 너 자신에 대해 말해 주겠니?
❶ your   ❷ yourself

3 He wrote books about _____ .
그는 자신에 대한 책들을 썼다.
❶ himself   ❷ him

4 The lion is licking _____ .
그 사자는 자기를 핥고 있다.
❶ itself   ❷ it

5 They like _____ so much.
그들은 자신들을 무척 많이 좋아한다.
❶ them   ❷ themselves

6 We washed the dishes _____ .
우리가 직접 설거지를 했다.
❶ us   ❷ ourselves

7 Lisa decorated her room _____ .
리사는 자기 방을 직접 장식했다.
❶ herself   ❷ her

8 Mr. Gray answered the phone _____ .
그레이 씨가 직접 전화를 받았다.
❶ himself   ❷ him

9 Did you write the e-mail _____ ?
네가 직접 그 이메일을 썼니?
❶ you   ❷ yourself

10 The bird built a nest _____ .
그 새가 직접 둥지를 지었다.
❶ it   ❷ itself

11 We helped _____ to the doughnuts.
우리는 도넛을 마음껏 먹었다.
❶ us   ❷ ourselves

12 Mr. Morris taught _____ Korean.
모리스 씨는 한국어를 독학했다.
❶ himself   ❷ him

13 I talked to _____ .
나는 혼잣말을 했다.
❶ myself   ❷ me

14 You may cut _____ with the knife.
너는 그 칼에 베일지도 모른다.
❶ yourself   ❷ you

15 The computer turned off by _____ .
그 컴퓨터는 저절로 꺼졌다.
❶ it   ❷ itself

WORDS   · hot chocolate 코코아   · lick 핥다   · decorate 장식하다   · nest 둥지   · turn off 끄다

Grammar Jump!

A 주어진 말을 사용하여 다음 문장을 완성하세요.

1 Gogh drew ___himself___ . (he)
고흐는 자기 자신을 그렸다.

2 The little bird washes _____ every morning. (it)
그 작은 새는 아침마다 자기 자신을 씻는다.

3 The kids can't take care of _____ . (they)
그 아이들은 자신들을 보살필 수 없다.

4 We looked at _____ in the water. (we)
우리는 물에 비친 우리 자신을 보았다.

5 I will buy a new headband for _____ . (I)
나는 나 자신을 위해 새 머리띠를 살 것이다.

6 The movie _____ was very interesting. (it)
그 영화 자체가 무척 흥미로웠다.

7 My sister and I made the cake _____ . (we)
우리 누나와 내가 직접 그 케이크를 만들었다.

8 Lily told me the story _____ . (she)
릴리가 내게 그 이야기를 직접 말해 주었다.

9 You and Tony watered the flowers _____ . (you)
너와 토니가 직접 꽃에 물을 주었다.

10 Be careful with the hammer, or you will hurt _____ . (you)
망치를 조심해라, 그러지 않으면 네가 다칠 것이다.

11 Kyle traveled by _____ for a week. (he)
카일은 혼자서 일주일 동안 여행했다.

12 The old lady often talks to _____ . (she)
그 노부인은 자주 혼잣말을 하신다.

13 Mike and I really enjoyed _____ at the zoo. (we)
마이크와 나는 동물원에서 아주 즐거운 시간을 보냈다.

14 The boys helped _____ to the hamburgers. (they)
그 남자아이들은 햄버거를 마음껏 먹었다.

15 I am teaching _____ German. (I)
나는 독일어를 독학하고 있다.

> 1, 2인칭 대명사의 경우에는 소유격에 -self나 -selves를 붙이고, 3인칭 대명사의 경우에는 목적격에 -self나 -selves를 붙이면 재귀대명사가 돼.

> 단수에는 -self를 붙이고, 복수에는 -selves를 붙이니까 주의해.

 WORDS · **headband** 머리띠   · **be careful with** ~을 조심하다   · **hammer** 망치   · **German** 독일어

148 Unit 07

B 다음 중 알맞은 말을 찾아 문장을 완성하세요. 중복해서 사용할 수 있어요.

> myself   yourself   itself   herself   himself   ourselves
> yourselves   themselves   by herself   enjoyed myself   to himself

1 The lion cleaned ___itself___ with its tongue.
그 사자는 자기 혀로 자신을 깨끗이 닦았다.

2 Anna introduced _____ to her new classmates.
애나는 새 반 친구들에게 자신을 소개했다.

3 We can take care of _____.
우리는 우리 자신을 돌볼 수 있다.

4 Do you know _____ well?
너희는 너희 자신을 잘 아니?

5 I _____ fixed the TV.
내가 그 TV를 직접 고쳤다.

재귀대명사는 주어를 강조하거나 주어와 같은 대상을 가리킬 때 써. 그러니까 주어를 먼저 찾은 다음, 주어에 알맞은 재귀대명사가 무엇인지 생각하면 돼.

6 My brother and I built the sandcastle _____.
내 남동생과 내가 그 모래성을 직접 만들었다.

7 Do you make your bed _____?
너는 잠자리를 직접 정리하니?

8 My dad walks the dog _____.
우리 아빠는 개를 직접 산책시키신다.

9 The students painted the wall _____.
그 학생들이 벽을 직접 페인트칠했다.

10 My aunt lives _____ _____.
우리 이모는 혼자 사신다.

11 The old man often talks _____ _____.
그 노인은 자주 혼잣말을 하신다.

12 I _____ _____ at the concert.
나는 그 콘서트에서 즐거운 시간을 보냈다.

WORDS · **tongue** 혀   · **classmate** 반 친구   · **make one's bed** 잠자리를 정돈하다   · **concert** 음악회, 콘서트

Grammar Fly! · · · · · · · · · · · · · · · · · ·

A 다음 문장에서 밑줄 친 부분을 바르게 고쳐 문장을 다시 쓰세요.

1 My sister bought <u>her</u> ice cream. 내 여동생은 자신을 위해 아이스크림을 샀다.
➡ My sister bought herself ice cream.

2 Henry often draws <u>him</u>. 헨리는 자기 자신을 자주 그린다.
➡ _____

3 Many people don't know <u>them</u> well. 많은 사람들이 자기 자신을 잘 모른다.
➡ _____

4 Did Mary introduce <u>her</u> to the teacher? 메리는 그 선생님께 자기 자신을 소개했니?
➡ _____

5 I can fix the fence <u>meself</u>. 내가 직접 그 울타리를 고칠 수 있다.
➡ _____

6 You and your sister have to do your homework <u>yourself</u>. 너와 네 여동생은 스스로 숙제를 해야 한다.
➡ _____

7 Sometimes my dad bakes bread <u>herself</u>. 때때로 우리 아빠는 직접 빵을 구우신다.
➡ _____

8 Lots of animals build their nests <u>ourselves</u>. 많은 동물들이 직접 자신들의 둥지를 짓는다.
➡ _____

9 Mr. Willy ate <u>by him</u> yesterday. 윌리 씨는 어제 혼자서 식사를 했다.
➡ _____

10 You <u>taught you</u> to ride a bike. 너는 자전거 타는 것을 스스로 배웠다.
➡ _____

11 Did they <u>enjoy them</u> at the festival? 그들은 그 축제에서 즐거운 시간을 보냈니?
➡ _____

12 Please <u>help you</u> to the cake. 케이크를 마음껏 드세요.
➡ _____

WORDS · **fix** 고치다   · **fence** 울타리   · **festival** 축제

B 다음 문장의 밑줄 친 부분을 주어진 말로 바꿔 쓸 때, 빈칸에 알맞은 말을 쓰세요.

1 <u>She</u> introduced herself to the neighbors. (your brother)
➡ ___Your___ ___brother___ introduced ___himself___ to the neighbors.

2 <u>The duck</u> washes itself in the pond. (the ducks)
➡ _____ _____ wash _____ in the pond.

3 <u>He</u> likes to draw himself. (I)
➡ _____ like to draw _____ .

4 <u>They</u> wrote a song about themselves. (the woman)
➡ _____ _____ wrote a song about _____ .

5 <u>Bob</u> knitted the scarves himself. (we)
➡ _____ knitted the scarves _____ .

6 Did <u>you</u> see the UFO yourself? (they)
➡ Did _____ see the UFO _____ ?

7 Did <u>you</u> make the snowman yourself? (you and Ben)
➡ Did _____ _____ _____ make the snowman _____ ?

8 <u>The puppies</u> barked at themselves in the mirror. (the puppy)
➡ _____ _____ barked at _____ in the mirror.

9 <u>I</u> taught myself to play the cello. (Jane's brother)
➡ _____ _____ taught _____ to play the cello.

10 <u>They</u> cut themselves with paper. (my dad)
➡ _____ _____ cut _____ with paper.

11 <u>The bears</u> helped themselves to the fish. (I)
➡ _____ helped _____ _____ the fish.

12 Does <u>the little boy</u> comb his hair by himself? (you)
➡ Do _____ comb your hair _____ _____ ?

> 주어가 바뀌면 바뀐 주어와 일치하도록 재귀대명사의 형태도 바꿔야 해.

WORDS · **pond** 연못 · **UFO** 유에프오, 미확인 비행 물체 · **snowman** 눈사람 · **cello** 첼로 · **comb** 빗다, 빗질하다

Grammar & Writing

A [그림 묘사하기] 친구들이 샘의 집에 놀러 왔습니다. 그림을 보고, 주어진 말과 알맞은 재귀대명사를 사용하여 문장을 완성하세요.

1  (Jenny and Peter / introduced)

_____Jenny_____ _____and_____ _____Peter_____ _introduced_

themselves to Mom.

2  (Dad / taught)

_____ to play chess.

3  (Mom / made)

_____ the cookies.

4  (my dog / hurt)

_____ .

5  (we / helped)

_____ to the cookies.

6  (we / enjoyed)

_____ at the pool.

 WORDS · **play chess** 체스를 두다   · **pool** 수영장

B 표 해석하기 다음은 지수와 친구들이 스스로 하는 일과 하지 않는 일을 조사한 표입니다. 표를 보고, 다음 문장을 완성하세요.

	I	Mike	Susan
1 make one's bed	○	×	×
2 clean one's room	×	○	○
3 take care of one's pet	×	○	×
4 cut the grass	×	×	○
5 wash one's sneakers	○	○	×
6 do one's homework	○	○	○

1 I ___make___ my bed ___myself___ .

2 Mike and Susan _____ their rooms _____ .

3 Mike _____ _____ _____ his pet _____ .

4 Susan _____ the grass _____ .

5 Mike and I _____ our sneakers _____ .

6 We all _____ our homework _____ .

 WORDS · **pet** 애완동물　· **cut the grass** 잔디를 깎다　· **sneakers** 스니커즈 운동화

UNIT TEST 07

1 다음 중 재귀대명사와 우리말 뜻이 바르게 짝지어진 것을 고르세요.

❶ himself – 그녀 자신　　❷ herself – 그 자신　　❸ themselves – 그것 자신

❹ ourselves – 우리 자신　　❺ itself – 그들 자신

2 다음 중 인칭대명사와 재귀대명사가 바르게 짝지어진 것을 고르세요.

❶ I - meself　　❷ you - yourself　　❸ he - hiself

❹ we - weselves　　❺ they - themself

[3 – 4] 다음 문장의 빈칸에 알맞은 말을 고르세요.

3

> Do you know _____ well?

❶ yourself　　❷ themselves　　❸ herself　　❹ myself　　❺ ourselves

4

> Mom and I made the garden _____.

❶ yourself　　❷ yourselves　　❸ herself　　❹ myself　　❺ ourselves

5 다음 중 영어와 우리말이 <u>잘못</u> 짝지어진 것을 고르세요.

❶ by oneself – 혼자서

❷ enjoy oneself – 즐거운 시간을 보내다

❸ teach oneself – 독학하다

❹ cut oneself – 베이다

❺ help oneself – 마음대로 하다

6 다음 중 밑줄 친 부분의 우리말 뜻이 올바른 것을 고르세요.

❶ I heard the news <u>myself</u>. (나 혼자서)

❷ They love <u>themselves</u>. (그들이 직접)

❸ Did you do your homework <u>yourself</u>? (너 자신을 위해)

❹ He <u>himself</u> decorated the house. (그가 직접)

❺ You <u>yourself</u> cooked dinner. (너 혼자서)

[7-9] 다음 문장에서 밑줄 친 우리말을 영어로 바르게 옮긴 것을 고르세요.

7

> Jane and Betty cleaned their room <u>그들이 직접</u>.

❶ they   ❷ their   ❸ them

❹ themselves   ❺ themself

8

> Mr. Bruce traveled <u>혼자서</u> for a week.

❶ him   ❷ by him   ❸ by himself

❹ about him   ❺ about himself

9

> The lion licked <u>그 자신</u>.

❶ it   ❷ itself   ❸ them

❹ themselves   ❺ yourself

[10-11] 다음 중 밑줄 친 부분이 잘못된 문장을 고르세요.

10 ❶ I am proud of <u>myself</u>.   ❷ She saw <u>herself</u> on TV.

❸ I knitted the mittens <u>ourselves</u>.   ❹ Tom bought a nice hat for <u>himself</u>.

❺ The dogs barked at <u>themselves</u> in the mirror.

11 ❶ I enjoyed <u>myself</u>.   ❷ The computer turned off by <u>itself</u>.

❸ Mom hurt <u>themselves</u>.   ❹ Did you teach <u>yourself</u> to skate?

❺ The boy cooked the soup <u>himself</u>.

[12-13] 다음 문장의 우리말 뜻으로 알맞은 것을 고르세요.

12

> We enjoyed ourselves at the party.

❶ 우리는 파티를 했다.   ❷ 우리는 파티를 좋아한다.

❸ 우리는 파티에서 시간을 보냈다.   ❹ 우리는 파티에서 즐거운 시간을 보냈다.

❺ 우리는 직접 파티를 열었다.

13

> Susan cut herself with paper.

❶ 수전은 종이를 잘랐다.   ❷ 수전은 종이에 베였다.

❸ 수전은 직접 종이를 잘랐다.   ❹ 수전은 종이로 잘랐다.

❺ 수전 자신이 종이를 잘랐다.

[14-15] 다음 우리말을 영어로 바르게 옮긴 것을 고르세요.

14

> 그는 그 학생들에게 자기 자신을 소개했다.

❶ He introduced the students.   ❷ He introduced to the students.

❸ He introduced himself to the students.   ❹ He introduced him to the students.

❺ He was introducing to the students.

15

> 과자를 마음껏 먹어라.

❶ Help for yourself.　　　❷ Help you to the cookies.

❸ Help you with the cookies.　　　❹ Help yourself for the cookies.

❺ Help yourself to the cookies.

[16-18] 다음 우리말 뜻과 같도록 괄호 안에서 알맞은 말을 고르세요.

16

> 나는 수영하는 것을 스스로 배웠다.

➡ I taught (me / myself) to swim.

17

> 리사는 잠자리를 직접 정돈한다.

➡ Lisa makes her bed (her / herself).

18

> 고흐는 자기 자신을 여러 번 그렸다.

➡ Gogh drew (him / himself) many times.

[19-21] 다음 문장의 밑줄 친 부분을 바르게 고쳐 문장을 완성하세요.

19

> Mr. Smith doesn't talk about <u>Mr. Smith</u>.

➡ Mr. Smith doesn't talk about _____.

20

> Babies can't take care of <u>the babies</u>.

➡ Babies can't take care of _____.

21

> Jane made hot chocolate for <u>Jane</u>.

➡ Jane made hot chocolate for _____ .

[22 – 25] 다음 우리말 뜻과 같도록 주어진 말을 사용하여 문장을 완성하세요.

22 그 말은 경주 중에 다쳤다. (hurt)

➡ The horse _____ _____ during the race.

23 그 노부인은 자주 혼잣말을 하신다. (talk)

➡ The old lady often _____ _____ _____ .

24 내가 직접 그 사진들을 찍었다. (take)

➡ I _____ the pictures _____ .

25 그는 그 컴퓨터를 직접 고쳤니? (fix)

➡ Did he _____ the computer _____ ?

WRAP UP

1 재귀대명사의 의미와 종류

1 [____]	ourselves	yourself	yourselves
나 자신	우리 자신	너 자신	2 [____]
3 [____]	herself	itself	themselves
그 자신	그녀 자신	4 [____]	그들 자신

2 재귀대명사의 역할

❶ 동사나 전치사의 1 [____] 역할을 한다. 동사나 전치사 뒤에 오며 생략할 수 2 [____].

❷ 주어를 3 [____] 하는 역할을 한다. 주어 바로 뒤나 문장의 뒤에 오며 생략할 수 4 [____].

Check Up 그림을 보고, 알맞은 말을 찾아 다음 대화의 빈칸에 쓰세요.

myself   yourself   ourselves

UNIT 08 부정대명사

도넛을 사고 있는데
밖에 민지와 연아가 보여요.

They are doughnuts.
I like the pink **one**.

I like the brown **one**.

one은 앞에 나온 말과 종류가 같은
사물 하나를 가리킬 때 쓰는 말이에요.
민지는 핑크색 도넛을, 연아는 갈색 도넛을 좋아하나 봐요.

One is Mom's,
and **the other** is mine.

'하나'는 어떻고, '나머지 하나'는 어떻다라고
말할 때 쓰는 one과 the other를
사용해서 둘 중 하나는 엄마 것이고,
나머지 하나는 내 것이라고 말할 수 있어요.

We need **something** to eat.

something은 긍정문에서 '어떤 것' 이라는 뜻으로 쓰이는 말이에요.

민지와 연아가 먹을 것이 필요한 거죠.

I didn't eat **anything** this afternoon.

나도 배고파!

갑자기 나타난 강산이도 오후에 아무것도 안 먹었다고 해요.

anything은 부정문에서 '아무것' 이라는 뜻을 나타내요.

정해지지 않은 어떤 것을 가리키는 one, something 등을 쓰니 더 편하게 말할 수 있어 좋아요.

늘 편한 우리 사이처럼요.

01 one, another, the other

특정하지 않은 막연한 사람이나 사물 등을 대신하는 말을 부정대명사라고 합니다.

A one

앞에 나온 명사와 종류가 같은 것 하나를 의미할 때 씁니다.

We love <u>dogs</u>. We want to get **one**. 우리는 개를 무척 좋아한다. 우리는 (개) 한 마리를 구하고 싶다.
I need <u>a pen</u>. Can I borrow **one**? 나는 펜이 필요하다. 내가 하나 빌려도 되니?

B another

'(다른) 또 하나', '하나 더'라는 뜻으로 앞에 나온 명사와 종류가 같은 (다른) 또 하나를 의미할 때 씁니다.

I don't like <u>the color</u>. Show me **another**. 나는 그 색이 마음에 들지 않는다. 내게 다른 것을 보여 줘.
She has <u>a hairpin</u>, but she wants **another**. 그녀는 머리핀이 한 개 있지만, 하나 더 원한다.

C the other

'(그 밖의) 나머지'라는 뜻으로 앞에 나온 명사 중 일부를 제외한 나머지를 의미할 때 씁니다.

- **one ~, the other ~**: (둘 중에서) 하나는 ~이고[하고], 나머지 하나는 ~이다[하다]

  I have <u>two caps</u>. **One** is new, and **the other** is old.
  나는 모자 두 개를 가지고 있다. 하나는 새것이고, 나머지 하나는 오래되었다.

- **one ~, another ~, the other ~**: (셋 중에서) 하나는 ~이고[하고], 다른 하나는 ~이고[하고],
  나머지 하나는 ~이다[하다]

  There are <u>three bikes</u>. **One** is Mom's, **another** is Dad's, and **the other** is mine.
  자전거가 세 대 있다. 하나는 엄마 것이고, 다른 하나는 아빠 것이고, 나머지 하나는 내 것이다.

Grammar Walk

정답 및 해설 29~30쪽

A 다음 문장에서 부정대명사를 모두 찾아 동그라미 하세요.

부정대명사에는 one, another, the other 등이 있어.

1 She needs a car. She will buy (one) soon.

2 There are a few dresses. The red one is mine.

3 Tom likes apples, and he is eating one now.

4 This bakery is famous for pumpkin pies. Let's buy one.

5 Bob didn't win many prizes, but he will win one today.

6 I ate a cookie, and Mom gave me another.

7 They already have a pet, but they want another.

8 He already wrote five books, and he is writing another now.

9 She returned the book, and she borrowed another.

10 The ice cream was great. Can I have another?

11 There are two birds on the roof. One is brown, and the other is blue.

12 Mom made two sandwiches. I ate one, and my brother ate the other.

13 I have two best friends. One is Mike, and the other is Susan.

14 We had three cats. One was white, another was black, and the other was yellow.

15 Three friends came to my party. One is Peter, another is Kyle, and the other is Tim.

WORDS · **be famous for** ~으로 유명하다 · **pumpkin pie** 호박파이 · **prize** 상 · **return** 반납하다 · **borrow** 빌리다

02 some-, any-

some-, any-는 사람을 말할 때 -one 또는 -body와 붙여 쓰고, 사물을 말할 때 -thing과 붙여 쓸 수 있습니다.

A someone/somebody, something

someone/somebody(어떤 사람, 누구), something(어떤 것, 무엇)은 주로 긍정문에 씁니다.
또한 권유나 부탁을 나타내는 의문문, 긍정의 대답을 예상하는 의문문에도 쓸 수 있습니다.

Someone called you in the morning. 아침에 누군가 네게 전화했다.

Somebody sent me a birthday card. 누군가 내게 생일 카드를 보냈다.

Mom was talking to **somebody**. 엄마는 누군가에게 이야기하고 계셨다.

She wanted **something** sweet. 그녀는 달콤한 것을 원했다.

Would you like **something** to drink? 마실 것을 드시겠어요?

B anyone/anybody, anything

anyone/anybody(누구, 아무), anything(무엇, 아무것)은 주로 의문문과 부정문에서 씁니다.

	anyone[anybody]	anything
의문문	누구	무엇
부정문	아무도	아무것도

Is there **anyone** home? 집에 누군가 있니?

I don't know **anybody** in London. 나는 런던에 아는 사람이 아무도 없다.

Did you find **anything** interesting there? 그곳에서 흥미있는 것이라도 발견했니?

He didn't buy **anything** at this store. 그는 이 가게에서 아무것도 사지 않았다.

Grammar Walk

A 다음 문장에서 부정대명사를 찾아 동그라미 하세요.

1 There is (someone) behind the curtains.

형용사는 주로 명사 앞에서 명사를 꾸며 주지만 something, anything을 꾸며 줄 때는 그 뒤에서 꾸며 줘.

2 Will someone help me, please?

3 Somebody broke the vase.

4 I want something cold.

5 Would you like something to eat?

6 There is something strange in the soup.

something cold
차가운 (어떤) 것
anything interesting
흥미로운 (어떤) 것
something to say
말할 (어떤) 것
이렇게 꾸며 주는 거지.

7 Do you have something to say?

8 Does anybody want cookies?

9 There isn't anybody on the street.

10 Can anyone play the cello?

11 Will anyone join the club?

12 Please don't touch anything.

13 He didn't say anything interesting.

14 Did you eat anything today?

15 Is there anything to read?

WORDS · **curtain** 커튼 · **vase** 꽃병 · **strange** 이상한 · **street** 거리 · **cello** 첼로 · **join** 가입하다

Grammar Run! ....

A 다음 문장에서 밑줄 친 부분의 알맞은 의미를 골라 동그라미 하세요.

1 I need a pen. Can I borrow <u>one</u>?
❶ 바로 그 펜   ❷ 펜 하나

2 He likes movies. He is watching <u>one</u> now.
❶ 바로 그 영화   ❷ 영화 한 편

앞에서 나온 명사 바로 그것을 가리킬 때는 it을 사용하고, 앞에 나온 명사와 같은 종류 중의 하나를 가리킬 때는 one을 써.

3 These are Mom's scarves. This red <u>one</u> is her favorite.
❶ 엄마   ❷ 스카프

4 He ate two doughnuts, and he ordered <u>another</u>.
❶ 도넛 하나 더   ❷ 다른 음식

5 She bought a camera, but she wants <u>another</u>.
❶ 사진기 하나 더   ❷ 전에 산 그 사진기

6 I don't like this cap. Will you show me <u>another</u>?
❶ 다른 모자   ❷ 이 모자

7 There are two bikes. One is mine, and <u>the other</u> is Mike's.
❶ 그 두 자전거   ❷ 나머지 한 자전거

8 Mom knitted two sweaters. One is for me, and <u>the other</u> is for Dad.
❶ 그 두 스웨터   ❷ 나머지 한 스웨터

9 I have two aunts. One lives in Busan, and <u>the other</u> lives in Seoul.
❶ 두 이모   ❷ 나머지 한 이모

10 Tim has three cats. <u>One</u> is cute, another is lazy, and the other is noisy.
❶ 팀의 고양이 한 마리   ❷ 팀의 고양이 세 마리

11 He has three hobbies. One is skiing, <u>another</u> is dancing, and the other is cooking.
❶ 그의 취미 세 가지   ❷ 그의 또 다른 취미

12 I made three pancakes. Jim ate one, Ben ate another, and I ate <u>the other</u>.
❶ 팬케이크 세 개   ❷ 나머지 팬케이크 하나

WORDS · **doughnut** 도넛   · **knit** (실로) 뜨다   · **lazy** 게으른   · **noisy** 시끄러운   · **hobby** 취미

B 다음 문장의 빈칸에 알맞은 말을 골라 동그라미 하세요.

1 _____ is here to see you.　　**①** Someone　　**②** Anyone
누군가 너를 만나려고 여기에 있다.

2 I have _____ to visit today.　　**①** anybody　　**②** somebody
나는 오늘 찾아갈 누군가가 있다.

3 _____ was crying in the dark.　　**①** Someone　　**②** Anyone
누군가 어둠 속에서 울고 있었다.

4 _____ sent me flowers.　　**①** Somebody　　**②** Anybody
누군가 내게 꽃을 보냈다.

5 I'm hungry. I'll eat _____.　　**①** anything　　**②** something
나는 배가 고프다. 무엇인가를 먹어야겠다.

6 I have _____ for you.　　**①** anything　　**②** something
나는 네게 줄 것이 있다.

7 Can you bring me _____ cold?　　**①** something　　**②** anything
제게 차가운 것을 가져다주시겠어요?

8 Would you like _____ sweet?　　**①** anything　　**②** something
뭔가 달콤한 것을 드시겠어요?

9 Don't tell _____ the secret.　　**①** anybody　　**②** somebody
아무에게도 그 비밀을 말하지 마라.

10 Does _____ like spiders?　　**①** somebody　　**②** anybody
누구 거미 좋아하니?

11 Can _____ tell me her name?　　**①** anything　　**②** anyone
누구 내게 그녀의 이름을 말해 줄 수 있니?

12 I didn't find _____ in the room.　　**①** anything　　**②** something
나는 그 방에서 아무것도 발견하지 못했다.

13 Do you have _____ to ask?　　**①** anyone　　**②** anything
너는 물어볼 것이 있니?

14 I have a toothache. I can't eat _____.　　**①** anything　　**②** something
나는 이가 아프다. 나는 아무것도 먹을 수 없다.

15 She doesn't know _____ about Korea.　　**①** anybody　　**②** anything
그녀는 한국에 대해 아무것도 모른다.

WORDS　· **dark** 어둠　　· **send** 보내다　　· **secret** 비밀　　· **find** 찾아내다, 발견하다　　· **toothache** 치통

Grammar Jump!

A 다음 괄호 안에서 알맞은 말을 골라 문장을 완성하세요.

1 This skirt is too small for me. Can I try on a bigger ___one___? (one / other)
이 치마는 내게 너무 작다. 더 큰 것을 입어 봐도 되니?

2 He needs a computer. Let's buy _____ for him. (one / another)
그는 컴퓨터가 필요하다. 그에게 하나 사 주자.

3 I ate an apple, and Mom gave me _____. (one / another)
내가 사과 하나를 먹자, 엄마가 내게 또 하나를 주셨다.

4 Tim lost an umbrella last week, and he lost _____ today. (another / other)
팀은 지난주에 우산 하나를 잃어버렸고, 오늘 또 다른 하나를 잃어버렸다.

5 She has two uncles. One is tall, and the _____ is short. (another / other)
그녀에게는 삼촌 두 분이 계신다. 한 분은 키가 크시고, 나머지 한 분은 키가 작으시다.

6 Tina has two sisters. One likes math, but the _____ hates it. (other / others
티나는 여동생이 두 명 있다. 한 명은 수학을 좋아하지만, 나머지 한 명은 아주 싫어한다.

7 I have three dogs. One is thin, _____ is slim, and the other is fat.
(other / another) 나는 개 세 마리를 가지고 있다. 한 마리는 말랐고, 다른 한 마리는 날씬하고, 나머지 한 마리는 뚱뚱하다.

8 Look at the three caps. One is red, another is pink, and the _____ is blue.
(other / another) 그 모자 세 개를 봐라. 하나는 빨간색이고, 다른 하나는 분홍색이고, 나머지 하나는 파란색이다.

9 She is talking to _____. (anyone / someone)
그녀는 누군가에게 이야기하고 있다.

10 The police found _____ in the forest. (anything / something)
경찰은 숲에서 무엇인가 발견했다.

11 John doesn't remember _____ about his grandpa. (anything / something)
존은 자기 할아버지에 대해 아무것도 기억나지 않는다.

12 Did _____ read the book? (anybody / somebody)
누구 그 책 읽은 사람 있니?

WORDS
· **slim** 날씬한　　· **police** 경찰　　· **forest** 숲　　· **remember** 기억하다

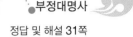

B 다음 중 알맞은 말을 찾아 문장을 완성하세요. 중복해서 사용할 수 있어요.

> one   another   the other
> someone   anyone   something   anything

1 My hobby is watching birds. I'm watching ____one____ now.
내 취미는 새를 관찰하는 것이다. 나는 지금 한 마리를 관찰하고 있다.

2 Edna wanted a doll, and her mom made _____ for her.
에드나는 인형을 원해서, 그녀의 엄마가 그녀를 위해 하나 만들어 주셨다.

3 She finished a book, and she started _____.
그녀는 책 한 권을 끝내고, 또 다른 한 권을 시작했다.

4 A dog barked, and _____ answered.
개 한 마리가 짖자, 또 다른 개가 대답했다.

5 Look at the cat's eyes. _____ is blue, and _____ _____ is green.
그 고양이의 눈을 봐라. 하나는 파란색이고, 나머지 하나는 초록색이다.

6 Ben bought two books. He kept _____, and he gave _____ _____ to me. 벤은 책 두 권을 샀다. 한 권은 그가 가지고, 나머지 한 권은 내게 주었다.

7 He has three daughters. _____ is a teacher, _____ is a designer, and _____ _____ is a farmer.
그는 딸이 세 명 있다. 한 명은 선생님이고, 다른 한 명은 디자이너이고, 나머지 한 명은 농부이다.

8 Look at those three brothers. _____ is tall, _____ is strong, and _____ _____ is handsome.
저 삼 형제를 봐라. 한 명은 키가 크고, 다른 한 명은 튼튼하고, 나머지 한 명은 잘생겼다.

9 _____ left a message for you. 누군가 네게 전갈을 남겼다.

10 You should buy him _____ for his birthday.
너는 그의 생일에 그에게 무엇인가를 사 주는 것이 좋겠다.

11 I don't have _____ to wear. 나는 입을 것이 아무것도 없다.

12 Did _____ feed the wild geese? 누군가 기러기들에게 먹이를 주었니?

WORDS   · **daughter** 딸   · **designer** 디자이너   · **message** 전갈, 메시지   · **wild goose** 기러기

Grammar Fly! ....

A 다음 대화의 밑줄 친 부분을 바르게 고쳐 빈칸에 쓰세요.

1 **A:** Do you like cats?
   B: Yes. I'm going to get <u>another</u> soon.   ➡   _____one_____

2 **A:** I bought a few game CDs.
   B: Can I borrow <u>another</u>?   ➡   _____

3 **A:** I finished all the pancakes.
   B: Do you want <u>other</u>?   ➡   _____

4 **A:** This pizza was really good.
   B: Let's order <u>the other</u>.   ➡   _____

5 **A:** Did you enjoy these two books?
   B: One was interesting, but <u>other</u> wasn't.   ➡   _____ _____

6 **A:** The twins are very different.
   B: Yes. One is tall, and <u>another</u> is short.   ➡   _____ _____

7 **A:** You made three sandwiches.
   B: One is yours, <u>one</u> is mine, and the other is Dad's.   ➡   _____

8 **A:** Who are those three boys?
   B: <u>The one</u> is Ted, another is Bob, and the other is Peter.   ➡   _____

9 **A:** Did you hear that noise?
   B: Yes. <u>Anybody</u> shouted outside.   ➡   _____

10 **A:** I made <u>anything</u> for you.
   B: Oh, what is this?   ➡   _____

11 **A:** Did you meet anyone there?
   B: No, I didn't meet <u>someone</u>.   ➡   _____

12 **A:** Are you hungry?
   B: Yes, I didn't eat <u>something</u> today.   ➡   _____

WORDS · **get** 얻다, 구하다   · **soon** 곧   · **twin** 쌍둥이   · **different** 다른   · **shout** 소리치다

B 주어진 말을 바르게 배열하여 문장을 완성하세요.

1 My computer is too old. I want ___a___ ___new___ ___one___ .
(new / one / a) 내 컴퓨터는 너무 낡았다. 나는 새것을 원한다.

2 This book is too hard for me. I want _____ _____ _____ .
(easier / one / an) 이 책은 내게 너무 어렵다. 나는 더 쉬운 것을 원한다.

3 This sandwich is good. Can I _____ _____? (have / another)
이 샌드위치는 맛있다. 내가 하나 더 먹어도 되니?

4 This ice cream is very delicious. Let's _____ _____. (order / another)
이 아이스크림은 매우 맛있다. 하나 더 주문하자.

5 I have two backpacks. One is new, and _____ _____ _____
_____. (the other / old / is) 나는 배낭 두 개를 가지고 있다. 하나는 새것이고, 나머지 하나는 오래되었다.

6 I went to two museums today. _____ _____ _____,
and the other was boring. (one / interesting / was)
나는 오늘 박물관 두 곳에 갔다. 한 곳은 흥미로웠고, 나머지 한 곳은 지루했다.

7 I have three caps. One is purple, _____ _____ _____,
and the other is blue. (is / another / yellow)
나는 모자 세 개를 가지고 있다. 하나는 자주색이고, 다른 하나는 노란색이고, 나머지 하나는 파란색이다.

8 I have three dogs. One is smart, another is friendly, and _____
_____ _____ _____. (brave / is / the other)
나는 개가 세 마리 있다. 한 마리는 영리하고, 다른 한 마리는 다정하고, 나머지 한 마리는 용감하다.

9 I have _____ _____ _____ today. (someone / to meet)
나는 오늘 만날 사람이 있다.

10 I'll bring you _____ _____. (something / cold)
내가 너에게 차가운 것을 가져다줄 것이다.

11 He doesn't know _____ _____. (anyone / rich)
그는 부유한 사람을 아무도 모른다.

12 She didn't say _____ _____. (interesting / anything)
그녀는 흥미로운 것을 아무것도 말하지 않았다.

WORDS   · **hard** 어려운, 힘든   · **purple** 자주색의   · **friendly** 다정한   · **brave** 용감한

Grammar & Writing

A 　그림 묘사하기　세라와 친구들이 원하는 것과 원하지 않는 것에 대해 말하고 있습니다. 그림을 보고, 다음 중 알맞은 말을 찾아 주어진 말을 사용하여 문장을 완성하세요. 중복해서 사용할 수 있어요.

something　　　anything

1

(warm)
It's so cold. I want <u>something</u>　<u>warm</u>.

2

(new)
My clothes are boring. I want _____ _____.

3

(exciting)
I'm bored. I want to do _____ _____.

4

(hot)
It's so hot. I don't want _____ _____.

5

(hard)
I have a toothache. I don't want _____
_____.

 ·**clothes** 옷　　·**boring** 지루한, 재미없는　　·**bored** 지루해하는, 따분해하는　　·**hard** 딱딱한

정답 및 해설 32쪽

B 그림 묘사하기 지아네 이웃에서 차고 세일이 열렸습니다. 그림을 보고, 주어진 말을 바르게 배열하여 문장을 완성하세요.

1 There are two vases. _____, and the other is clean. (dirty / one / is)

2 There are two backpacks. One is big, and _____ _____. (other / is / the / small)

3 There are two cameras. One is expensive, and _____ _____. (is / the / cheap / other)

4 There are three hats. _____, another is for women, and the other is for children. (is / one / for men)

5 There are three toys. One is a teddy bear, _____ _____, and the other is a car. (is / a robot / another)

6 There are three colors in the Italian flag. One is red, another is green, and _____. (the / white / is / other)

WORDS
· **expensive** 비싼   · **cheap** 싼   · **teddy bear** 곰 인형   · **Italian** 이탈리아의   · **flag** 기, 깃발

UNIT TEST 08

[1 – 3] 다음 문장의 빈칸에 알맞은 말을 고르세요.

1

> Mom needs a car. She will buy _____ soon.
> 엄마는 자동차가 필요하시다. 그녀는 곧 한 대 사실 것이다.

❶ one   ❷ another   ❸ the other   ❹ they   ❺ it

2

> I ate two doughnuts, and I ordered _____.
> 나는 도넛 두 개를 먹고, 하나 더 주문했다.

❶ one   ❷ another   ❸ the other   ❹ they   ❺ it

3

> He doesn't remember _____ about his grandfather.
> 그는 자기 할아버지에 대해 아무것도 기억나지 않는다.

❶ something   ❷ anything   ❸ someone   ❹ anyone   ❺ anybody

[4 – 5] 다음 중 밑줄 친 부분이 잘못된 문장을 고르세요.

4   ❶ <u>Somebody</u> left a message for you.   ❷ Will <u>anyone</u> join the club?

❸ Is <u>anybody</u> home?   ❹ There isn't <u>someone</u> in the room.

❺ He saw <u>someone</u> behind the tree.

5   ❶ Would you like <u>something</u> to eat?   ❷ I didn't eat <u>anything</u> today.

❸ He didn't know <u>something</u> about Korea.   ❹ I want <u>something</u> exciting.

❺ She didn't ask <u>anything</u>.

[6-8] 다음 문장의 밑줄 친 우리말을 영어로 바르게 옮긴 것을 고르세요.

6

> This bakery is famous for pumpkin pies. Let's buy 호박파이 하나.

❶ it   ❷ one   ❸ another   ❹ the other   ❺ the others

7

> I don't like this cap. Will you show me 다른 모자?

❶ it   ❷ one   ❸ another   ❹ the other   ❺ the others

8

> The twins look different. One is tall, and 나머지 한 명 is short.

❶ it   ❷ one   ❸ another   ❹ the other   ❺ the others

[9-10] 다음 문장의 밑줄 친 부분과 바꿔 쓸 수 있는 말을 고르세요.

9

> Someone called you. 누군가 네게 전화했다.

❶ Anyone   ❷ Anything   ❸ Something   ❹ Anybody   ❺ Somebody

10

> I didn't see anyone tall there. 나는 그곳에서 키 큰 사람 아무도 보지 못했다.

❶ someone   ❷ anything   ❸ something   ❹ anybody   ❺ somebody

11 다음 중 밑줄 친 부분의 우리말 뜻이 **잘못된** 것을 고르세요.

❶ Molly is talking to <u>someone</u>. (누군가)

❷ I have <u>something to eat</u>. (먹을 것)

❸ There isn't <u>anything</u> in the box. (아무도)

❹ Can you bring me <u>something cold</u>? (차가운 것)

❺ <u>Someone</u> cried in the dark. (누군가)

[12-13] 다음 문장의 빈칸에 들어갈 말이 순서대로 바르게 짝지어진 것을 고르세요.

12

> Ben bought two books. He kept _____ and gave _____ to me.

❶ one – another　　❷ one – others　　❸ one – the other

❹ another – other　　❺ another – the other

13

> He has three hobbies. One is swimming, _____ is dancing, and _____ is cooking.

❶ one – another　　❷ one – others　　❸ one – the others

❹ another – other　　❺ another – the other

[14-15] 다음 밑줄 친 부분을 우리말로 바르게 옮긴 것을 고르세요.

14

> She didn't tell <u>anyone</u> the secret.

❶ 누군가에게 말하지 않았다　　❷ 아무에게나 말하지 않았다

❸ 아무것도 말하지 않았다　　❹ 아무도 말해 주지 않았다

❺ 아무에게도 말하지 않았다

15

> I need a pen. <u>Can I borrow one?</u>

❶ 그 펜을 빌려도 되니?　　　　　❷ 그 펜이 필요하니?

❸ 펜을 하나 빌려도 되니?　　　　❹ 다른 펜을 빌릴 수 있니?

❺ 펜을 하나 더 빌려도 되니?

[16-17] 다음 우리말 뜻과 같도록 괄호 안에서 알맞은 말을 고르세요.

16

> 너는 샌드위치를 다 먹었구나. 하나 더 원하니?

➡ You finished all the sandwich. Do you want (another / the other)?

17

> 나는 이가 아프다. 딱딱한 것은 아무것도 원하지 않는다.

➡ I have a toothache. I don't want (something / anything) hard.

[18-20] 다음 문장의 밑줄 친 부분을 바르게 고쳐 쓰세요.

18

> Would you like <u>anything</u> to drink?

➡ _____

19

> She didn't do <u>something</u> fun this weekend.

➡ _____

20

I saw two movies today. One was interesting, but <u>another</u> was boring.

➡ _____ _____

[21 – 25] 다음 우리말 뜻과 같도록 문장을 완성하세요.

21 나는 삼촌이 두 분 계신다. 한 분은 의사이시고, 나머지 한 분은 작가이시다.

➡ I have two uncles. _____ is a doctor, and _____ _____

is a writer.

22 그녀는 소 다섯 마리를 가지고 있는데, 한 마리 더 원한다.

➡ She has five cows, but she wants _____ .

23 나는 무엇인가 새로운 것을 원한다.

➡ I want _____ _____ .

24 누군가 오늘 내게 전화했니?

➡ Did _____ call me today?

25 아무것도 만지지 마세요.

➡ Please don't touch _____ .

WRAP UP

1 one, another, the other

1	2	3	4
앞에 나온 명사와 종류가 같은 것 하나	앞에 나온 명사와 종류는 같지만 (다른) 하나 더	앞에 나온 명사 중 일부를 제외한 나머지 하나	

2 someone[somebody], something, anyone[anybody], anything

someone, somebody	1	anyone, anybody	2
어떤 사람, 누구	어떤 것, 무엇	아무, 누구	아무것, 무엇
긍정문		3	
4 나 부탁을 나타내는 의문문 긍정의 대답을 기대하는 의문문		5	

Check Up 그림을 보고, 알맞은 말을 찾아 다음 대화의 빈칸에 쓰세요.

the other	something	anyone	another

I want to do _____ exciting.

Did _____ borrow these games?

No. Are these for you?

One is for me, _____ is for Sunny, and _____ is for my dog.

REVIEW TEST 04

1 다음 영어의 우리말 뜻이 <u>잘못</u> 짝지어진 것을 고르세요.

❶ hurt oneself – 다치다　　　　　❷ by oneself – 혼자서

❸ help oneself – 스스로 하다　　　❹ enjoy oneself – 즐거운 시간을 보내다

❺ talk to oneself – 혼잣말하다

[2-4] 다음 문장의 빈칸에 알맞은 말을 고르세요.

2

> A bird was looking at _____ in the mirror.

❶ itself　　　❷ himself　　　❸ herself　　　❹ myself　　　❺ ourselves

3

> I'm bored. I don't have _____ to do.

❶ something　　❷ somebody　　❸ someone　　❹ anything　　❺ anyone

4

> Mr. Thompson has twins. One plays soccer, and _____ plays baseball.

❶ one　　　❷ another　　　❸ the other　　　❹ other　　　❺ it

5 다음 중 빈칸에 들어갈 말이 <u>다른</u> 하나를 고르세요.

❶ We don't have _____ to read.　　❷ I don't want _____ warm.

❸ They didn't do _____ interesting.　❹ She will make _____ sweet.

❺ There isn't _____ in the box.

[6-8] 다음 문장의 밑줄 친 우리말을 영어로 바르게 옮긴 것을 고르세요.

6

> My sister and I decorated the room <u>직접</u>.

❶ itself　　　　❷ themselves　　　　❸ yourself

❹ myself　　　　❺ ourselves

7

> Did <u>누군가</u> know his name?

❶ other　　　　❷ something　　　　❸ anyone

❹ anything　　　　❺ people

8

> This glass is dirty. Will you give me <u>다른 유리컵 하나</u>?

❶ the other　　　　❷ one　　　　❸ another

❹ it　　　　❺ something

[9-10] 다음 문장을 우리말로 바르게 옮긴 것을 고르세요.

9

> I didn't meet anyone at the party.

❶ 나는 파티에서 아무도 만나지 않았다.　　　❷ 나는 파티에서 누군가를 만났다.

❸ 파티에 아무도 오지 않았다.　　　❹ 나는 파티에서 누군가를 만나지 않았다.

❺ 나는 파티에서 아무것도 보지 못했다.

10

> Emily knitted the scarf herself.

❶ 에밀리는 그 목도리를 샀다.　　　❷ 에밀리는 자신을 위해 그 목도리를 짰다.

❸ 누군가 에밀리를 위해 그 목도리를 짰다.　　　❹ 에밀리는 직접 그 목도리를 짰다.

❺ 에밀리는 누군가를 위해 목도리를 짰다.

11 다음 중 밑줄 친 부분이 <u>잘못된</u> 문장을 고르세요.

❶ <u>Somebody</u> took my umbrella.　　❷ Did <u>anybody</u> watch the movie?

❸ I don't like <u>something</u> sweet.　　❹ He can't fix <u>anything</u>.

❺ Would you like <u>something</u> to drink?

[12-13] 다음 문장의 빈칸에 들어갈 말이 순서대로 바르게 짝지어진 것을 고르세요.

12
> There are two computers in my house. _____ is new, and _____ is old. 우리 집에는 컴퓨터가 두 대 있다. 하나는 새것이고, 나머지 하나는 오래된 것이다.

❶ One – another　　❷ One – the other　　❸ One – the others

❹ Another – other　　❺ Another – the other

13
> I _____ cooked the pasta for you. _____ yourself.
> 내가 직접 너를 위해 파스타를 요리했다. 마음껏 먹어라.

❶ myself – Try　　❷ myself – Help　　❸ itself – Enjoy

❹ ourselves – Enjoy　　❺ yourself – Help

14 다음 문장의 밑줄 친 부분을 대신할 수 있는 말을 고르세요.

> My backpack is too old. Could you buy me a new <u>backpack</u>?

❶ it　　❷ them　　❸ the other

❹ another　　❺ one

15 다음 문장의 밑줄 친 부분을 바르게 고친 것을 고르세요.

> Mike cut it with paper. 마이크가 종이에 베였다.

❶ he   ❷ him   ❸ himself

❹ his   ❺ them

[16-17] 다음 우리말 뜻과 같도록 문장을 완성하세요.

16 우리는 애완동물이 두 마리 있다. 한 마리는 고양이이고, 나머지 한 마리는 햄스터이다.

➡ We have two pets. One is a cat, and _____ _____ is a hamster.

17 누군가 내게 전화했니?

➡ Did _____ call me?

[18-20] 다음 주어진 말을 바르게 배열하여 문장을 쓰세요.

18 (need / I / to read / something / .)

➡ _____

나는 읽을 것이 필요하다.

19 (the boy / to me / himself / introduced / .)

➡ _____

그 남자아이는 내게 자기 자신을 소개했다.

20 (Liam / himself / the box / by / raised / .)

➡ _____

리엄은 혼자서 그 상자를 들어 올렸다.

FINAL TEST 01

[1-3] 다음 문장의 빈칸에 알맞은 말을 고르세요.

1

_____ long is the river?

❶ What　　❷ Where　　❸ Why　　❹ Who　　❺ How

2

My mom knits a sweater _____ three hours every day.

❶ on　　❷ at　　❸ to　　❹ for　　❺ during

3

Ted loves baseball caps. He is wearing _____ now.

❶ it　　❷ one　　❸ another　　❹ other　　❺ the other

[4-5] 다음 문장의 빈칸에 들어갈 수 <u>없는</u> 말을 고르세요.

4

How much _____ do you need?

❶ money　　❷ time　　❸ sugar　　❹ salt　　❺ eggs

5

Have you _____ it already?

❶ heard　　❷ finished　　❸ drew　　❹ done　　❺ found

[6-8] 다음 대화의 빈칸에 알맞은 말을 고르세요.

6

A: _____ you ever been to Canada?　　B: Yes, I have.

❶ Are　　❷ Do　　❸ Did　　❹ Have　　❺ Has

7

> **A:** Who taught you Chinese? **B:** I taught _____.

❶ me ❷ myself ❸ my mom ❹ herself ❺ her

8

> **A:** Do you know anything about shooting stars?
> **B:** No, I don't know _____ about them.

❶ something ❷ anything ❸ someone

❹ anyone ❺ anybody

[9-10] 다음 중 밑줄 친 부분이 잘못된 문장을 고르세요.

9 ❶ <u>Who told</u> the story? ❷ <u>Who made</u> the snowman?

❸ <u>What lives</u> in the cave? ❹ <u>What you want</u> for dinner?

❺ <u>Which looks</u> better, this one or that one?

10 ❶ Edgar got up early <u>on his birthday</u>.

❷ Don't use your cell phone <u>during class</u>.

❸ Don't make noise <u>at night</u>.

❹ They have a party <u>in Thanksgiving Day</u>.

❺ My aunt has lived in Busan <u>for ten years</u>.

[11-13] 다음 대화의 빈칸에 들어갈 말이 순서대로 바르게 짝지어진 것을 고르세요.

11

> **A:** Has he _____ in a diary since the first grade?
> **B:** No, he _____. He has never written in a diary.

❶ write – does ❷ write – did ❸ write – has

❹ written – has ❺ written – hasn't

12

> **A:** Did you meet _____ during the trip?
>
> **B:** Yes, I did. I met _____ handsome.

❶ anybody – somebody ❷ anybody – anybody ❸ somebody – nobody

❹ anybody – nobody ❺ somebody – anybody

13

> **A:** _____ should I water the tree? **B:** Twice a week.
>
> **A:** _____ water should I give it? **B:** One liter.

❶ How often – How many ❷ How many – How much

❸ How often – How much ❹ How long – How many

❺ How long – How often

[14-15] 다음 우리말을 영어로 바르게 옮긴 것을 고르세요.

14

> 하나는 파란색이고, 나머지 하나는 갈색이다.

❶ One is blue, and the other is brown.

❷ One is blue, and the others are brown.

❸ One is blue, and another is brown.

❹ This is blue, and that is brown.

❺ Some are blue, and others are brown.

15

> 내가 컴퓨터를 직접 껐다.

❶ I turned off the computer.　　❷ I turned off the computer myself.

❸ The computer turned off.　　❹ The computer turned off by itself.

❺ The computer turned off itself.

16 다음 대화의 밑줄 친 부분을 바르게 고쳐 쓰세요.

> **A:** There is ❷ <u>anyone</u> behind us. Can you see him?
>
> **B:** No, I can't. There isn't ❸ <u>someone</u>.

ⓐ _____　　ⓑ _____

[17 – 18] 다음 우리말 뜻과 같도록 주어진 말을 사용하여 문장을 완성하세요.

17 마이크와 나는 해변에서 즐거운 시간을 보냈다. (enjoy)

➡ Mike and I _____ _____ on the beach.

18 존은 자기 부모님 사이에 앉았다. (his parents)

➡ John sat _____ _____ _____.

[19 – 20] 다음 주어진 말을 바르게 배열하여 문장을 완성하세요.

19 (has / Nancy / forgotten / not)

➡ _____ the address.

　낸시는 그 주소를 잊지 않았다.

20 (you / many / books / do / how)

➡ _____ read a month?

　너는 한 달에 몇 권의 책을 읽니?

FINAL TEST 02

1 다음 중 우리말을 영어로 <u>잘못</u> 옮긴 것을 고르세요.

❶ 금요일에 – on Friday

❷ 밤에 – at night

❸ 아침에 – in the morning

❹ 다리 아래 – under the bridge

❺ 방학 동안 – for the vacation

[2-3] 다음 밑줄 친 부분을 영어로 바르게 옮긴 것을 고르세요.

2

> It <u>비가 내리지 않는다</u> for two months.

❶ didn't rain

❷ haven't rained

❸ not has rained

❹ not have rained

❺ hasn't rained

3

> I don't like this cap. <u>내게 다른 것을 보여 주시겠어요?</u>

❶ Can you show me one?

❷ Can you show me another?

❸ Can you show me the other?

❹ Please show me anything.

❺ Please show me something.

[4-6] 다음 중 올바른 문장을 고르세요.

4 ❶ David have been my best friend for ten years.

❷ Ms. Benson has taught us since last month.

❸ You never have written a letter to me.

❹ My dad hasn't drove a car for two years.

❺ Has Mom finish the sweater already?

5 ❶ Mozart taught heself to play the violin.

❷ My brother and I helped ourself to the cookies.

❸ Did you fix the computer yourself?

❹ The farmers themself sell the vegetables.

❺ My sister and I meself take care of our pet.

6　❶ Why you got up so early?

　❷ What do you want, a camera or a phone?

　❸ How much movies did you watch this month?

　❹ How many time do you have?

　❺ Who wrote this book?

7　다음 문장의 빈칸에 들어갈 수 <u>없는</u> 말을 고르세요.

> Violet has _____ her umbrella.

❶ lost　　　❷ found　　　❸ brought　　　❹ broke　　　❺ left

[8-9] 다음 문장을 부정문으로 바꿔 쓸 때, 빈칸에 알맞은 말을 고르세요.

8
> I found something strange in the sky.
> ➡ I didn't find _____ strange in the sky.

❶ something　　　　❷ anything　　　　❸ one

❹ the other　　　　❺ another

9
> Summer has gone already.
> ➡ Summer _____ gone yet.

❶ didn't have　　　　❷ doesn't have　　　　❸ not has

❹ haven't　　　　❺ hasn't

10　다음 문장의 빈칸에 알맞은 말을 고르세요.

> The puppy is walking _____ me. 그 강아지는 내 옆에서 걷고 있다.

❶ under　　　❷ beside　　　❸ behind　　　❹ on　　　❺ over

[11–12] 다음 의문문에 대한 대답으로 알맞은 말을 고르세요.

11

> How heavy is your backpack?

❶ It is 30 centimeters tall.   ❷ Yes, it is.

❸ It is blue.   ❹ It is two kilograms.

❺ It is two o'clock.

12

> How does your mom go to work?

❶ Yes, she does.   ❷ No, she doesn't.

❸ She leaves for work at 8:30.   ❹ Because she can't drive.

❺ She goes to work by subway.

13 다음 중 짝지어진 대화가 <u>어색한</u> 것을 고르세요.

❶ **A:** Has the rain stopped yet?   **B:** No, it didn't.

❷ **A:** When does your school begin?   **B:** It begins in March.

❸ **A:** Where is the library?   **B:** It is on Main Street.

❹ **A:** Is there anything wrong?   **B:** Yes, something is wrong.

❺ **A:** Have you ever had a teddy bear?   **B:** Yes, I have.

[14–15] 다음 문장의 밑줄 친 부분을 바르게 고친 것을 고르세요.

14

> Bill loves movies. He is watching <u>it</u> now.

❶ one   ❷ them   ❸ another

❹ other   ❺ the other

15

> I was practicing ballet, and I hurt <u>me</u>.

① my   **②** meself   **③** myself

④ herself   **⑤** ourselves

[16-17] 다음 우리말 뜻과 같도록 주어진 말을 사용하여 문장을 완성하세요.

16 그들은 입장권을 모두 팔아 버렸다. (have, sell)

➡ They ＿＿＿＿＿ ＿＿＿＿＿ all the tickets.

17 누군가 어둠 속에서 울었다. (cry)

➡ ＿＿＿＿＿ ＿＿＿＿＿ in the dark.

[18-20] 주어진 말을 바르게 배열하여 문장을 쓰세요.

18 (listened to / you / have / the music / ?)

➡ ＿＿＿＿＿＿＿＿＿＿＿＿＿＿＿＿＿＿＿＿

　너는 그 음악을 들어 본 적이 있니?

19 (can / what sports / you / play / ?)

➡ ＿＿＿＿＿＿＿＿＿＿＿＿＿＿＿＿＿＿＿＿

　너는 어떤 스포츠를 할 수 있니?

20 (to the ice cream / yourself / help / .)

➡ ＿＿＿＿＿＿＿＿＿＿＿＿＿＿＿＿＿＿＿＿

　아이스크림을 마음껏 먹어라.

동사의 불규칙 변화형

동사원형		과거형	과거분사형	동사원형		과거형	과거분사형
be	~이다	was/were	been	become	~이 되다	became	become
begin	시작하다	began	begun	blow	불다	blew	blown
break	깨다, 부수다	broke	broken	bring	가져오다	brought	brought
build	짓다, 건설하다	built	built	buy	사다	bought	bought
catch	잡다, 받다	caught	caught	choose	고르다	chose	chosen
come	오다	came	come	cut	베다, 자르다	cut	cut
do	하다	did	done	draw	그리다	drew	drawn
drink	마시다	drank	drunk	drive	운전하다	drove	driven
eat	먹다	ate	eaten	fall	떨어지다	fell	fallen
feed	먹이다	fed	fed	feel	느끼다	felt	felt
fight	싸우다	fought	fought	find	찾다	found	found
fit	맞다	fit	fit	fly	날다	flew	flown
forget	잊다	forgot	forgotten	get	얻다, 받다	got	got/gotten
give	주다	gave	given	go	가다	went	gone
grow	자라다	grew	grown	have	가지다	had	had
hear	듣다	heard	heard	hide	감추다, 숨기다	hid	hidden
hit	때리다	hit	hit	hold	잡고 있다, 붙들다	held	held
hurt	다치게 하다	hurt	hurt	keep	유지하다	kept	kept
know	알다, 알고 있다	knew	known	lead	안내하다	led	led
leave	떠나다	left	left	lend	빌려 주다	lent	lent
lie	눕다	lay	lain	lose	잃어버리다, 지다	lost	lost
make	만들다	made	made	meet	만나다	met	met
pay	지불하다	paid	paid	put	놓다	put	put
quit	그만두다	quit	quit	read	읽다	read	read
ride	타다	rode	ridden	ring	전화하다	rang	rung
run	달리다	ran	run	say	말하다	said	said
see	보다	saw	seen	sell	팔다	sold	sold
send	보내다	sent	sent	set	놓다	set	set
shake	흔들다	shook	shaken	shoot	쏘다	shot	shot
shut	닫다	shut	shut	sing	노래하다	sang	sung
sit	앉다	sat	sat	sleep	자다	slept	slept
speak	말하다	spoke	spoken	stand	서다	stood	stood
steal	훔치다	stole	stolen	sweep	쓸다	swept	swept
swim	수영하다	swam	swum	take	가져가다	took	taken
teach	가르치다	taught	taught	tear	찢다	tore	torn
tell	말하다	told	told	think	생각하다	thought	thought
throw	던지다	threw	thrown	understand	이해하다	understood	understood
wake	(잠에서) 깨다	woke	woken	wear	입다	wore	worn
win	이기다	won	won	write	쓰다	wrote	written

Grammar, ZAP!

ANSWER KEY

심화 **3**

CHUNJAE EDUCATION, INC.

Grammar, ZAP!

ANSWER KEY

심화 3

Unit 01 의문사 있는 의문문 (1)

01 의문사 what, which, who

만화 해석   10쪽

잭: 오늘 저녁 식사는 누가 요리하실 건가요?
아빠: 내가 하마.
아빠: 너희들은 저녁 식사로 무엇을 원하니?

Grammar Walk!   11쪽

A
1	What	2	What	3	What
4	Which	5	Which	6	Which
7	Who	8	Who	9	Who

B
1	무엇이	2	무엇을	3	어느 것을
4	누구를	5	누가		

해설 **B**
1 상자 안에 무엇이 있니?
2 그는 점심 식사로 무엇을 원하니?
3 너는 우유와 주스 중에서 어느 것을 원하니?
4 너는 누구를 초대할 거니?
5 누가 네 숙제를 도와주니?

02 의문사 when, where, why, how

만화 해석   12쪽

친구: 왜 서로 냄새를 맡는 거야?
서니: 쟤들은 서로 "안녕." 하고 말하고 싶은 거야.
푸들: 안녕. 너 냄새 좋구나. 내 냄새는 어떠니?
스노위: 아주 좋아.

Grammar Walk!   13쪽

A
1	When	2	When	3	When
4	Where	5	Where	6	Where
7	Where	8	How	9	How
10	How	11	How	12	Why
13	Why	14	Why	15	Why

Grammar Run!   14~15쪽

A
1 ❶	2 ❶	3 ❷	4 ❶
5 ❷	6 ❶	7 ❶	8 ❶
9 ❷	10 ❶	11 ❶	12 ❷
13 ❷	14 ❷	15 ❶	

B
1	What	2	What	3	Which
4	Who[Whom]	5	Who	6	When
7	Where	8	Where	9	How
10	How	11	Why	12	Why

해설 **A**
1 우체국은 어디에 있니?
2 네 손에 있는 것은 무엇이니?
3 그들은 왜 그렇게 신이 났니?
4 지금 날씨는 어떠니?
5 폴은 도서관에 어떻게 가니?
6 티나는 어디에서 점심 식사를 하니?
7 아기들은 왜 우니?
8 너는 누구를 아니?
9 너는 방과 후에 무엇을 할 거니?
10 그녀는 누구를 가장 그리워할까?
11 내가 언제 너를 다시 볼 수 있니?
12 너는 왜 지금 떠나야 하니?
13 동굴 안에 무엇이 사니?
14 누가 꽃에 물을 주니?
15 닭과 달걀 중에서 어느 것이 먼저니?

B
1 A: 네가 특히 좋아하는 색은 무엇이니?
  B: 분홍색이다.
2 A: 에디슨은 무엇을 발명했니?
  B: 그는 백열전구를 발명했다.
3 A: 너는 피자와 햄버거 중에서 어느 것을 더 좋아하니?
  B: 나는 햄버거를 더 좋아한다.
4 A: 너는 내일 누구에게 전화할 거니?
  B: 나는 벨라에게 전화할 것이다.
5 A: 누가 이 사진을 찍었니?
  B: 우리 아빠가 찍으셨다.
6 A: 네 생일은 언제니?
  B: 2월 17일이다.
7 A: 도서관은 어디에 있니?
  B: 선 스트리트에 있다.
8 A: 우리는 어디에서 배드민턴을 치는 것이 좋겠니?
  B: 너희는 마당에서 배드민턴을 치는 것이 좋겠다.
9 A: 그 케이크는 어땠니?
  B: 맛있었다.
10 A: 토미는 학교에 어떻게 가니?
   B: 그는 학교에 걸어서 간다.
11 A: 너는 왜 테드를 좋아하니?
   B: 그가 친절하기 때문이다.
12 A: 릴리는 학교에 왜 늦었니?
   B: 그녀가 버스를 놓쳤기 때문이다.

Grammar Jump!

16~17쪽

A 1 When is Jimmy
2 Where are the games
3 How are you
4 Why are the students
5 Who does he
6 How does Kevin
7 What do your parents
8 What do elephants
9 Where do you
10 Why do they
11 Which should Helen
12 Who will she

B 1 What are   2 When is
3 Where were   4 What do
5 Why does   6 When does
7 How does   8 When did
9 Where can   10 Who will
11 How can   12 Which can
13 Who is   14 Which looks
15 Who took

해설 **A** 1 너[너희]는 언제 한가하니?
→ 지미는 언제 한가하니?
2 그 축제는 어디에서 열리고 있니?
→ 그 경기들은 어디에서 열리고 있니?
3 너희 할머니는 어떻게 지내시니?
→ 너는 어떻게 지내니?
4 그 남자아이는 왜 웃고 있니?
→ 그 학생들은 왜 웃고 있니?
5 너는 누구를 만나고 싶니?
→ 그는 누구를 만나고 싶어 하니?
6 그들은 학교에 어떻게 가니?
→ 케빈은 학교에 어떻게 가니?
7 너희 아버지는 무슨 일을 하시니?
→ 너희 부모님은 무슨 일을 하시니?
8 코끼리는 무엇을 먹니?
→ 코끼리들은 무엇을 먹니?
9 그녀는 어디에 사니?
→ 너는 어디에 사니?
10 메리는 왜 항상 검은 옷을 입니?
→ 그들은 왜 항상 검은 옷을 입니?
11 우리는 피자와 핫도그 중에서 어느 것을 주문하는 것이 좋겠니?

→ 헬렌은 피자와 핫도그 중에서 어느 것을 주문하는 것이 좋겠니?
12 너는 누구를 초대할 거니?
→ 그녀는 누구를 초대할 거니?

Grammar Fly!

18~19쪽

A 1 Who is   2 How was
3 Why do, hate   4 What do, want
5 How does, go   6 Where did, have
7 When did, take   8 What will, do
9 Why should, be   10 Where will, stay
11 Which is   12 Who cleans

B 1 When is Mother's Day?
2 Why are you upset?
3 What do you need?
4 Who did he call yesterday?
5 When did you meet Anna?
6 Where did Louis come from?
7 How did you find the ring?
8 What will you draw in the sketchbook?
9 Why must she leave now?
10 Who is behind the door?
11 Which flies higher, an eagle or a hawk?
12 Who can solve this problem?

해설 **A** 1 A: 누가 네 제일 친한 친구니?
B: 마이크가 내 제일 친한 친구이다.
2 A: 그 영화는 어땠니?
B: 그것은 지루했다.
3 A: 너는 잭을 왜 싫어하니?
B: 그가 무례하기 때문이다.
4 A: 너는 무엇이 되고 싶니?
B: 나는 유명한 가수가 되고 싶다.
5 A: 너희 어머니는 어떻게 출근하시니?
B: 그녀는 자동차로 출근하신다.
6 A: 그들은 어디에서 파티를 열었니?
B: 그들은 제시카의 집에서 파티를 열었다.
7 A: 너희 삼촌은 언제 그 사진을 찍으셨니?
B: 그는 그것을 10년 전에 찍으셨다.
8 A: 너는 이번 주말에 무엇을 할 거니?
B: 나는 영화를 보러 갈 것이다.
9 A: 우리는 왜 수업 시간에 조용히 하는 것이 좋겠니?
B: 선생님의 말씀을 주의 깊게 듣는 것이 좋기 때문이다.
10 A: 엘사는 어디에 머무를 거니?

B: 그녀는 시티 호텔에 머무를 것이다.
11 A: 코끼리와 곰 중에서 어느 것이 더 크니?
B: 코끼리가 더 크다.
12 A: 누가 욕실을 청소하니?
B: 아빠가 청소하신다.

Grammar & Writing

20~21쪽

A 1 Who did you meet
2 Where did you go
3 Why did you go
4 What did you do
5 Which did you order
6 How was

B 1 What is this week's event?
2 Who will sell cookies?
3 Which will they sell
4 When is the cookie sale?
5 Where will they sell cookies?
6 Why will they sell cookies?

해설 **A** 1 (누구, 만나다)
  A: 너는 지난 일요일에 누구를 만났니?
  B: 나는 우리 삼촌을 만났다.
2 (어디에, 가다)
  A: 너는 어디에 갔니?
  B: 나는 경기장에 갔다.
3 (왜, 가다)
  A: 너는 왜 거기에 갔니?
  B: 야구 경기가 있었기 때문이다.
4 (무엇, 하다)
  A: 경기가 끝난 후 너는 무엇을 했니?
  B: 나는 피자 가게에 갔다.
5 (어느 것, 주문하다)
  A: 너는 치즈 피자와 페퍼로니 피자 중에서 어느 것
   을 주문했니?
  B: 나는 치즈 피자를 주문했다.
6 (어떠하여, ~하다)
  A: 그것은 어땠니?
  B: 그것은 맛있었다.

B 1 수리: 이번 주의 행사는 무엇이니?
  에릭: 과자 판매야.
2 수리: 누가 과자를 팔 거니?
  에릭: 이 선생님과 그녀의 학생들이야.

3 수리: 버터 과자와 설탕 과자 중에서 그들은 어느
  것을 팔 거니?
  에릭: 그들은 설탕 과자를 팔 거야.
4 수리: 과자 판매는 언제니?
  에릭: 금요일 오후 1시부터 3시까지야.
5 수리: 그들은 어디에서 과자를 팔 거니?
  에릭: 학교 구내식당에서.
6 수리: 그들은 왜 과자를 팔 거니?
  에릭: 그들은 학급 문고를 위해 돈이 필요하기 때
  문이야.

UNIT TEST · 01
22~26쪽

1 ❸	2 ❹	3 ❺	4 ❷
5 ❺	6 ❸	7 ❹	8 ❺
9 ❹	10 ❸	11 ❹	12 ❷
13 ❸	14 ❹	15 or	

16 Because   **17** What
18 When, we meet   **19** Which looks
20 does she like
21 How can I find the needle?
22 When did he take this photo?
23 Why was Chris angry this morning?
24 Where did the game take place?
25 What will you do after school?

해설

1 둘 중에서 어느 것인지 묻고 있으므로 의문사 which가 알맞다.
  ❶ 무엇 ❷ 누구 ❸ 어느 것 ❹ 어디에 ❺ 어떻게
2 어디인지 묻고 있으므로 의문사 where가 알맞다.
  ❶ 무엇 ❷ 누구 ❸ 어느 것 ❹ 어디에 ❺ 어떻게
3 의문사가 있는 과거 시제의 일반동사 의문문은 「의문사
  +did+주어+동사원형 ~?」으로 쓴다.
  • 제이미는 저녁 식사로 무엇을 요리했니?
4 의문사가 주어인 조동사가 있는 의문문은 「의문사+조동사+
  동사원형 ~?」으로 쓴다.
  • 누가 이 문제를 풀 수 있니?
5 의문사가 있는 일반동사 의문문은 「의문사+do동사+주어+
  동사원형 ~?」이고, be동사 의문문은 「의문사+be동사+주
  어 ~?」이다. 단, 의문사 which가 주어인 현재 시제의 일반
  동사 의문문은 「의문사+동사의 3인칭 단수형 ~, A or B?」
  로 쓴다.
  ❶ Where does your dog sleep? 너희 개는 어디에서
   자니?
  ❷ When is your birthday? 네 생일은 언제니?
  ❸ What did you have for lunch? 너는 점심 식사로 무
   엇을 먹었니?

4 정답 및 해설

❹ How did you open the door? 너는 그 문을 어떻게 열었니?

❺ 고래와 돌고래 중에서 어느 것이 더 깊이 잠수하니?

6 의문사가 있는 현재 시제의 일반동사 의문문은 「의문사+do/ does+주어+동사원형 ~?」이다. ❶, ❷, ❹, ❺의 주어는 3인칭 단수이므로 does가 알맞고, ❸의 주어는 2인칭(you)이므로 does가 아닌 do를 써야 한다.

❶ 그녀는 어디에 사니?

❷ 그는 왜 모자를 쓰니?

❸ How do you spell your name? 너는 네 이름의 철자를 어떻게 쓰니?

❹ 너희 아버지는 무슨 일을 하시니?

❺ 너희 학교는 언제 시작하니?

7 의문사가 있는 조동사 의문문은 「의문사+조동사+주어+동사원형 ~?」으로 쓴다. 그러므로 ❹의 we must는 must we로 써야 알맞다.

❶ 내가 너를 위해 무엇을 할 수 있니?

❷ 그들은 언제 떠날 거니?

❸ 우유와 주스 중에서 너는 어느 것을 원하니?

❹ Why must we wear school uniforms? 우리는 왜 교복을 입어야 하니?

❺ 나는 내 바늘을 어떻게 찾을 수 있니?

8 how는 '어떻게', '얼마나'라는 의미로 방법이나 정도를 묻는 의문사이다. 그러므로 어떻게 운전했는지 말해 주는 ❺가 알맞다.

• 화이트 씨는 어떻게 운전했니?

❶ 응, 그랬어.

❷ 아니, 그러지 않았어.

❸ 지난달에.

❹ 그가 빨랐기 때문이야.

❺ 신중하게.

9 why는 이유를 묻는 의문사이므로 주로 '(왜냐하면) ~하기 때문이다'라는 뜻의 because를 사용하여 대답한다.

• 그녀는 왜 웃고 있니?

❶ 응, 그래.

❷ 아니, 그러지 않아.

❸ 그녀는 자기 남동생에게 이야기했다.

❹ 그녀가 재미있는 이야기를 읽고 있기 때문이다.

❺ 그녀는 웃고 있다.

10 ❸은 how를 이용하여 학교에 가는 '방법'을 묻고 있으므로 on foot, by car 등 이동하는 '방법'으로 대답하는 것이 알맞다.

❶ A: 누가 네게 그 연필들을 주었니?
   B: 토니가 내게 그것들을 주었다.

❷ A: 그는 어디에서 점심 식사를 하니?
   B: 구내식당에서.

❸ A: 너는 학교에 어떻게 가니?
   B: 나는 학교에 가고 있다.

❹ A: 그는 무엇을 발명했니?
   B: 그는 백열전구를 발명했다.

❺ A: 그녀는 왜 울고 있었니?

B: 그녀가 슬픈 영화를 봤기 때문이다.

11 가방을 산 '장소'가 어디인지 묻고 있으므로 「Where+do동사+주어+동사원형 ~?」으로 쓴다. 과거의 일에 대해 묻고 있으므로 do동사는 did를 쓴다.

❸ 너는 그 가방을 어디에서 사니?

12 그녀가 도착할 '때'가 언제인지 묻고 있으므로 조동사 will을 사용해 「When+will+주어+동사원형 ~?」으로 쓴다.

13 첫 번째 문장은 어떠한지 상태를 묻는 의문문이므로 빈칸에는 의문사 how가 알맞다. 두 번째 문장은 누구인지 묻는 의문문이므로 빈칸에는 의문사 who가 알맞다.

❶ 누구 – 어떠하여 ❷ 누구 – 왜 ❸ 어떠하여 – 누구
❹ 무엇 – 누구 ❺ 어떠하여 – 무엇

14 첫 번째는 '무엇'을 묻고 있는 문장이므로 의문사 what이, 두 번째 문장에서는 '어느 것'인지 묻고 있으므로 의문사 which가 알맞다.

❶ 어떻게 – 무엇 ❷ 어디에 – 어느 것 ❸ 무엇 – 누구
❹ 무엇 – 어느 것 ❺ 언제 – 누구

15 which를 사용하여 둘 중에서 어느 것을 선택할지 묻는 의문문이므로, '또는'을 뜻하는 or로 연결해야 한다.

• A: 독수리와 매 중에서 어느 것이 더 크니?
  B: 독수리가 더 크다.

16 A가 why를 써서 이유를 묻고 있으므로, B는 '(왜냐하면) ~하기 때문이다'라는 뜻의 because를 써서 대답한다.

• A: 그는 왜 학교에 지각했니?
  B: 그가 버스를 놓쳤기 때문이다.

17 대답에서 '영어를 가르치신다'고 대답하고 있으므로 '무엇'인지 묻는 what이 알맞다.

• A: 데이비스 선생님은 무엇을 가르치시니?
  B: 그는 영어를 가르치신다.

18 의문사가 있는 조동사 의문문은 「의문사+조동사+주어+동사원형 ~?」으로 쓴다. 언제인지 묻고 있으므로 의문사는 when, 주어는 우리이므로 we를 쓴다. 동사는 동사원형으로 써야 하므로 meet이다.

19 의문사가 있는 일반동사 의문문에서 의문사가 주어인 경우 「의문사+동사 ~?」로 쓴다. 단 현재 시제의 경우 동사는 3인칭 단수형을 쓴다. 그러므로 '어느 것'을 뜻하는 의문사 which, 동사는 look의 3인칭 단수형인 looks를 쓴다.

20 의문사가 있는 일반동사 의문문은 「의문사+do동사+주어+동사원형 ~?」이다. 주어(she)가 3인칭 단수이고, 현재 시제이므로 do동사는 does를 쓴다.

21 의문사가 있는 조동사 의문문은 「의문사+조동사+주어+동사원형 ~?」으로 쓴다.

22 의문사가 있는 일반동사 의문문은 과거 시제인 경우 「의문사+did+주어+동사원형 ~?」으로 쓴다.

23 의문사가 있는 be동사 의문문은 「의문사+be동사+주어 ~?」로 쓴다.

24 의문사가 있는 일반동사 의문문은 과거 시제인 경우 「의문사+did+주어+동사원형 ~?」으로 쓴다.

25 의문사가 있는 조동사 의문문은 「의문사+조동사+주어+동사원형 ~?」으로 쓴다.

Wrap Up
27쪽

1 1 which   2 who   3 동사원형

2 1 when   2 how   3 주어

Check Up
Where, What, How, Which

만화 해석

엄마: 내 휴대 전화가 어디에 있지?

서니: 무엇을 찾고 계세요?

엄마: 내 휴대 전화를 찾고 있어.

엄마: 그것을 어떻게 찾을 수 있을까?

서니: 제게 생각이 있어요.

친구: 검은색과 흰색 중에서 어느 것이 아주머니 거예요?

엄마: 그 흰색이 내 것이란다.

Unit 02 의문사 있는 의문문 (2)

01 what/which/whose+명사

만화 해석
30쪽

친구: 고양이와 개 중에서 어느 애완동물이 더 영리하니?

서니: 고양이가 더 영리해.

친구: 이것들은 누구의 장난감이야?

서니: 스노위 거야.

Grammar Walk!
31쪽

A 1 What   2 What   3 Which
     4 Which   5 Which   6 Whose
     7 Whose   8 Whose

B 1 ❶   2 ❶   3 ❶
     4 ❶   5 ❶

해설 **B** 1 너희 엄마는 무슨 사이즈를 입으시니?
       2 지금 몇 시니?
       3 너는 어느 계절을 좋아하니?
       4 어느 팀이 그 경기에서 이길까?
       5 네가 특히 좋아하는 것은 누구의 이야기이니?

02 how+형용사/부사

만화 해석
32쪽

경찰: 그 개는 얼마나 크니?

서니: 작아요.

서니: 너희 과자를 얼마나 많이 먹은 거야?

Grammar Walk!
33쪽

A 1 old   2 high   3 heavy
     4 often   5 many   6 brothers
     7 much   8 bread

B 1 ❶   2 ❷   3 ❶
     4 ❷   5 ❶

해설 **A** 1 *A*: 네 남동생은 몇 살이니?
        B: 열 살이다.
      2 *A*: 그 산은 얼마나 높니?
        B: 8,000미터가 넘는다.
      3 *A*: 그 칠면조는 얼마나 무겁니?
        B: 4킬로그램 정도이다.
      4 *A*: 너는 얼마나 자주 영화를 보러 가니?
        B: 한 달에 한 번 간다.
      5 *A*: 너는 바나나를 몇 개 샀니?
        B: 다섯 개 샀다.
      6 *A*: 너는 남자 형제가 몇 명 있니?
        B: 나는 남자 형제가 딱 한 명 있다.
      7 *A*: 그녀는 밀가루를 얼마나 많이 사용했니?
        B: 밀가루 두 컵을 사용했다.
      8 *A*: 너는 빵을 얼마나 많이 원하니?
        B: 나는 빵 두 덩어리를 원한다.

B 1 그는 얼마나 자주 샤워를 하니?
     2 그 컵에 물이 얼마나 많이 있니?
     3 우리는 지금 소금을 얼마나 많이 가지고 있니?
     4 너는 친구가 얼마나 많이 있니?
     5 개는 이를 얼마나 많이 가지고 있니?

Grammar Run!
34~35쪽

A 1 ❷   2 ❶   3 ❶   4 ❶
     5 ❷   6 ❶   7 ❷   8 ❷
     9 ❷   10 ❶   11 ❶   12 ❶
     13 ❶   14 ❷   15 ❷

B 1 ❶   2 ❷   3 ❷   4 ❷
     5 ❷   6 ❶   7 ❶   8 ❷
     9 ❶   10 ❷   11 ❷   12 ❶

A 1 너는 학교에서 무슨 과목들을 공부하니?

2 우리 무슨 요일에 만날까?

3 4번과 7번 중에서 어느 버스가 여기에 서니?

4 어느 가방이 네 것이니?

5 이것들은 누구의 장갑이니?

6 누구의 생각이 더 좋니?

7 나는 그 고양이에게 얼마나 자주 먹이를 주는 것이 좋겠니?

8 그 자전거는 얼마니?

9 그는 거기에 얼마나 오래 머물렀니?

10 그 탑은 얼마나 높니?

11 너는 설탕이 얼마나 많이 필요하니?

12 너는 우유를 얼마나 많이 마시니?

13 그 상자 안에 모래가 얼마나 많이 있니?

14 그는 아이들이 몇 명 있니?

15 너는 오렌지를 얼마나 많이 먹었니?

B 1 너희 학교는 몇 시에 시작하니?

❶ 오전 8시에 시작한다. ❷ 여덟 시간 걸린다.

2 너는 무슨 운동을 하니?

❶ 나는 매일 그 운동을 한다. ❷ 나는 테니스를 친다.

3 거북이와 낙타 중에서 어느 동물이 더 오래 사니?

❶ 나는 거북이를 더 좋아한다.

❷ 거북이가 더 오래 산다.

4 이것들은 누구의 체육복이니?

❶ 그녀는 도라이다. ❷ 그것들은 도라의 것이다.

5 누구의 답이 맞니?

❶ 앤이 대답했다. ❷ 앤의 답이 맞다.

6 그는 몇 살이니?

❶ 그는 열두 살이다. ❷ 그는 늙지 않았다.

7 그 고양이는 얼마나 무겁니?

❶ 무게가 5킬로그램쯤 나간다.

❷ 15센티미터쯤이다.

8 네 머리카락은 얼마나 기니?

❶ 무게가 20그램 나간다.

❷ 25센티미터이다.

9 너는 하루에 물을 얼마나 많이 마시니?

❶ 나는 물을 세 컵 마신다.

❷ 나는 물을 아주 많이 좋아한다.

10 너는 차에 설탕을 얼마나 많이 넣니?

❶ 그것은 매우 달다.

❷ 나는 설탕 한 숟가락을 넣는다.

11 그녀는 사과를 얼마나 많이 샀니?

❶ 그녀는 사과를 많이 먹었다.

❷ 그녀는 사과 세 개를 샀다.

12 너는 친구가 얼마나 많이 있니?

❶ 나는 친구가 다섯 명 있다.

❷ 그들은 열한 살이다.

Grammar Jump! 36~37쪽

A 1 What 2 What

3 Which 4 Which

5 Whose 6 Whose

7 Whose 8 How

9 How many 10 How many

11 How much 12 How much

B 1 What, is 2 Which, is

3 Whose, is 4 How, is

5 Whose, are 6 What, does

7 How, does 8 Which, does

9 How, can 10 How, can

11 What, shall 12 How much, does

13 How many, did

A 1 A: 그녀는 무슨 색을 좋아하니?

B: 그녀는 노란색을 좋아한다.

2 A: 해리스 선생님은 무슨 과목을 가르치시니?

B: 그는 수학을 가르치신다.

3 A: 빨간색과 초록색 중에서 나는 어느 버스를 타는 것이 좋겠니?

B: 빨간색을 타는 것이 좋겠다.

4 A: 코끼리와 말 중에서 어느 동물이 더 영리하니?

B: 코끼리가 더 영리하다.

5 A: 너는 누구의 사진기를 빌렸니?

B: 나는 마크의 것을 빌렸다.

6 A: 누구의 고양이가 없어졌니?

B: 해나의 고양이가 없어졌다.

7 A: 그들은 누구의 아이디어를 선택했니?

B: 그들은 내 아이디어를 선택했다.

8 A: 그 지하철역은 여기에서 얼마나 머니?

B: 20미터 떨어져 있다.

9 A: 엄마는 과자를 얼마나 많이 구우셨니?

B: 그녀는 스물네 개를 구우셨다.

10 A: 그는 몇 시간을 공부했니?

B: 두 시간 동안 공부했다.

11 A: 우리는 시간이 얼마나 있니?

B: 한 시간이 있다.

12 A: 너는 밀가루가 얼마나 많이 필요하니?

B: 나는 밀가루가 두 컵 필요하다.

B which 어느, what 무슨, whose 누구의, how 얼마나, much (양이) 많은/많이, many (수가) 많은/많이, shall ~일 것이다, did ~했다, does ~하다, is/are ~이다, ~에 있다, can ~할 수 있다

Grammar Fly!　　　　38~39쪽

A
1 What day is it today?
2 What story are you reading?
3 Which cap is better, the black one or the white one?
4 Which girl is Laura, the tall girl or the short girl?
5 Whose birthday is it today?
6 Whose umbrella did you take?
7 How many stamps did Michelle collect?
8 How many chairs do the students need?
9 How much money did he save?
10 How much tea did you drink?
11 How old is the tree?
12 How often do you exercise?

B
1 What color does he wear often?
2 What nicknames do you have?
3 Which bike is yours, this one or that one?
4 Whose answer is correct?
5 Whose gym clothes can I borrow?
6 How long is the snake?
7 How high can a kangaroo jump?
8 How often does Melanie feed the dog?
9 How much sugar did she put?
10 How much water should I drink a day?
11 How many butterflies did Paul catch?
12 How many books did he buy?

해설 **A** 1 A: 오늘은 무슨 요일이니?
　　　 B: 화요일이다.
　　 2 A: 너는 무슨 이야기를 읽고 있니?
　　　 B: 나는 「신데렐라」를 읽고 있다.
　　 3 A: 검은색과 흰색 중에서 어느 모자가 더 좋니?
　　　 B: 검은색이 더 좋다.
　　 4 A: 키 큰 여자아이와 키 작은 여자아이 중에서 어느 여자아이가 로라니?
　　　 B: 키 큰 여자아이가 로라이다.
　　 5 A: 오늘은 누구의 생일이니?
　　　 B: 할아버지의 생신이다.

6 A: 너는 누구의 우산을 가져갔니?
　 B: 나는 엄마의 우산을 가져갔다.
7 A: 미셸은 우표를 얼마나 많이 수집했니?
　 B: 그녀는 우표를 100장 수집했다.
8 A: 그 학생들은 의자가 얼마나 많이 필요하니?
　 B: 그들은 의자가 세 개 필요하다.
9 A: 그는 돈을 얼마나 많이 모았니?
　 B: 15달러 모았다.
10 A: 너는 차를 얼마나 많이 마셨니?
　 B: 차 두 잔을 마셨다.
11 A: 그 나무는 얼마나 오래되었니?
　 B: 200년 되었다.
12 A: 너는 운동을 얼마나 자주 하니?
　 B: 일주일에 두 번 한다.

Grammar & Writing　　　40~41쪽

A
1 Which　　　　2 How many
3 Which　　　　4 How much
5 How long

B
1 What　　　　2 How many
3 Which　　　　4 How far
5 How long

해설 **A** which 어느, how 얼마나, many (수가) 많은/많이, much (양이) 많은/많이, long 긴
1 점원: 치즈와 페퍼로니 중에서 어느 피자를 원하세요?
　 민수: 저는 치즈 피자를 원해요.
2 점원: 몇 조각을 원하세요?
　 민수: 두 조각 주세요.
3 점원: 콜라와 주스 중에서 어느 음료수를 원하세요?
　 민수: 콜라 한 컵을 원해요.
4 민수: 얼마죠?
　 점원: 5달러입니다.
5 민수: 얼마나 오래 기다려야 하나요?
　 점원: 5분 정도입니다.

B how 얼마나, what 무슨, which 어느, far 먼/멀리, many (수가) 많은/많이
1 A: 학생들은 어떤 도시를 방문하고 싶어 하니?
　 B: 그들은 파리, 시드니 그리고 뉴욕을 방문하고 싶어 한다.
2 A: 얼마나 많은 학생들이 파리에 투표했니?
　 B: 여섯 명의 학생들이 파리에 투표했다.

3 A: 뉴욕과 시드니 중에서 어느 도시가 한국에 더 가
까우니?

B: 시드니가 더 가깝다.

4 A: 뉴욕은 한국에서 얼마나 머니?

B: 한국에서 11,043킬로미터 떨어져 있다.

5 A: 비행기로 시드니까지 얼마나 오래 걸리니?

B: 열한 시간 걸린다.

UNIT TEST ·· 02

42~46쪽

1 ❸	2 ❺	3 ❸	4 ❹
5 ❷	6 ❸	7 ❷	8 ❷
9 ❺	10 ❺	11 ❹	12 ❺
13 ❹	14 ❹	15 heavy	16 far
17 often	18 Whose	19 How many	
20 How much		21 lives longer, or	
22 Whose photo		23 How fast does	
24 How tall is		25 How much bread	

해설

1 셀 수 있는 명사(friends)의 '수'를 물어볼 때는 how many
를 쓴다.
• 얼마나 많은 친구들이 파티에 왔니?
❶ 얼마나 큰 ❷ 얼마나 오래된 ❸ (수가) 얼마나 많은
❹ (양이) 얼마나 많은 ❺ 얼마나 무거운

2 얼마나 먼지 거리를 물을 때는 how far를 쓴다.
• 여기에서 네 학교는 얼마나 머니?

3 길이가 얼마나 긴지 물을 때는 how long을 쓴다.
❶ Whose answer is correct? 누구의 대답이 맞니?
❷ Which computer is faster, this one or that one?
이것과 저것 중에서 어느 컴퓨터가 더 빠르니?
❸ 그 뱀은 길이가 얼마나 기니?
❹ How many books did you read last month? 너는
지난달에 얼마나 많은 책을 읽었니?
❺ How many strawberries did you eat? 너는 얼마나
많은 딸기를 먹었니?

4 어떤 일을 얼마나 자주 하는지 횟수나 빈도를 물을 때는 how
often을 쓴다.
❶ 오늘은 무슨 요일이니?
❷ 너는 무슨 색을 좋아하니?
❸ 너는 무슨 도시에 방문하고 싶니?
❹ How often does she go to the movies? 그녀는 얼
마나 자주 영화를 보러 가니?
❺ 그는 무슨 사이즈를 입니?

5 apple은 셀 수 있는 명사이므로 how many를 사용해 개수
를 묻는다.

---

❶ 그들은 얼마나 오래 기다릴 수 있니?
❷ How many apples did you pick? 너는 사과를 얼마
나 많이 땄니?
❸ 개는 이를 얼마나 많이 가지고 있니?
❹ 이 책은 얼마니?
❺ 너는 키가 얼마나 크니?

6 which는 명사와 함께 쓰여 '어느 ~'라는 뜻이 된다. 따라서
형용사인 much는 빈칸에 들어갈 수 없다.
❶ 모자 ❷ 우산 ❸ 많은 ❹ 방 ❺ 자전거

7 how much는 셀 수 없는 명사의 양을 묻는 표현이므로 셀
수 있는 명사의 복수형인 crayons는 빈칸에 들어갈 수 없다.
❶ 시간 ❷ 크레용들 ❸ 밀가루 ❹ 설탕 ❺ 물

8 누구의(whose) 것을 빌릴 수 있는지 묻고 있으므로 대답에
'누구의 것'인지 나타내는 말(mine)이 있는 ❷가 알맞다.
• 나는 누구의 체육복을 빌릴 수 있니?
❷ 너는 내 것을 써도 된다. ❹ 응, 그래도 돼. ❺ 아니, 안 돼.

9 키가 얼마나 큰지 묻고 있으므로 대답에 키를 나타내는 말
(155 centimeters tall)이 있는 ❺가 알맞다.
• 너는 키가 얼마나 크니?
❶ 아니, 그렇지 않아.
❷ 나는 키가 작다.
❸ 나는 무척 말랐다.
❹ 나는 40킬로그램이다.
❺ 나는 155센티미터이다.

10 ❺에서 표의 가격을 묻는데, 원하는 매수를 대답하고 있으므
로 어색하다.
❶ A: 어느 여자아이가 네 사촌이니?
B: 저 키 큰 여자아이가 내 사촌이다.
❷ A: 너는 무슨 사이즈를 입니?
B: 나는 작은 사이즈를 입는다.
❸ A: 그는 여자 형제가 몇 명 있니?
B: 그는 여자 형제가 두 명 있다.
❹ A: 너희는 거기에 얼마나 오래 머무를 거니?
B: 우리는 일주일 동안 머무를 것이다.
❺ A: 그 표는 얼마니?
B: 나는 표 세 장을 원한다.

11 어떤 별명들이라는 뜻은 「what+명사」를 사용해 what
nicknames로 쓰고, 그것들을 가지고 있는지 묻고 있으므로
뒤에 do you have를 써서 What nicknames do you
have?로 나타낸다.
❺ 네가 특히 좋아하는 것은 무슨 별명이니?

12 셀 수 없는 명사인 돈의 양을 묻고 있으므로 how much
money를 쓴다. 의문사가 있는 일반동사 의문문은 「의문사
+do동사+주어+동사원형 ~?」의 형태이고 과거 시제이므로
❺가 알맞다.

13 첫 번째 문장은 둘 중에서 '어느 것'을 선택할지 묻고 있으므
로 첫 번째 빈칸에는 Which가 알맞고, 두 번째 문장은 가격
을 묻고 있으므로 두 번째 빈칸에는 How much가 알맞다.
❶ 누구의 - 무슨 ❷ 누구의 - 어느 ❸ 어느 - 무슨
❹ 어느 - 얼마 ❺ 얼마나 - 어느

14 셀 수 없는 명사(milk)의 양을 물을 때는 how much를 쓰므

로 첫 번째 문장의 빈칸에는 much가 알맞다. 셀 수 있는 명사(kites)의 수를 물을 때는 how many를 쓰므로 두 번째 문장의 빈칸에는 many가 알맞다.

❶ 수가 많은/많이 – 수가 많은/많이
❷ 양이 많은/많이 – 양이 많은/많이
❸ 수가 많은/많이 – 양이 많은/많이
❹ 양이 많은/많이 – 수가 많은/많이
❺ 뜨거운 – 자주

15 무게(3 kilograms)로 대답하고 있으므로 무게를 묻는 how heavy가 알맞다. how many는 수를 묻는 표현이다.
  · A: 그 고양이는 얼마나 무겁니?
    B: 그것은 무게가 3킬로그램쯤 나간다.

16 거리(11,043 kilometers)로 대답하고 있으므로 거리를 묻는 how far가 알맞다. how long은 길이 또는 기간을 묻는 말이다.
  · A: 뉴욕은 한국에서 얼마나 머니?
    B: 한국에서 11,043킬로미터 떨어져 있다.

17 횟수(twice)로 대답하고 있으므로 횟수를 묻는 how often이 알맞다. how much는 양을 묻는 표현이다.
  · A: 너는 그 고양이에게 하루에 얼마나 자주 먹이를 주니?
    B: 나는 그 고양이에게 하루에 두 번 먹이를 준다.

18 '누구의 ~'라는 의미를 나타낼 때는 의문사 whose를 쓴다.
  · 오늘은 누구의 생일이니?

19 셀 수 있는 명사(cows)의 수를 물을 때 how many를 쓴다.
  · 그는 소를 얼마나 많이 가지고 있니?

20 셀 수 없는 명사(butter)의 양을 물을 때 how much를 쓴다.
  · 마이클은 버터가 얼마나 많이 필요하니?

21 '어느 ~'라는 뜻으로, 둘 중에서 어느 것을 선택할지 물을 때는 의문사 「which+명사」를 쓰고, 범위를 나타내는 말은 or를 써서 연결한다. 단 「which+명사(단수)」가 주어이면 동사는 3인칭 단수 현재형(lives)을 쓴다.

22 누구의 것인지 묻는 표현은 「Whose+명사+be동사+주어 ~?」이다.

23 얼마나 빠른지 물을 때는 how fast를 쓰고, 일반동사가 있는 경우 「How fast+do동사+주어+동사원형 ~?」으로 쓴다. 현재 시제이고 주어(a cheetah)가 3인칭 단수이므로 does를 쓴다.

24 키가 얼마나 큰지 물을 때는 「How tall+be동사+주어?」로 쓴다. 현재 시제이고 주어인 your brother가 3인칭 단수이므로 be동사는 is를 쓴다.

25 셀 수 없는 명사인 빵(bread)의 양을 묻고 있으므로 「How much+셀 수 없는 명사 ~?」로 쓴다.

Wrap Up
47쪽

1 1 명사　　2 which　　3 whose
2 1 how　　2 much　　3 몇 살
　　4 얼마나 무거운　　5 how　　6 often

Check Up
Which, How, many

만화 해석
아빠: 저는 생일 케이크가 필요해요.
점원: 치즈 케이크와 초콜릿 케이크 중에서 어느 케이크를 원하세요?
아빠: 그것으로 할게요. 얼마죠?
점원: 35달러입니다.
점원: 초는 몇 개 필요하세요?

Review Test ~ 01
48~51쪽

1 ❹	2 ❸	3 ❸	4 ❺
5 ❹	6 ❸	7 ❸	8 ❹
9 ❷	10 ❺	11 ❹	12 ❶

13 ❺　　14 When did the bus
15 How long does
16 How many friends do you have?
17 Whose, is　　18 Why, cry
19 How much juice did you drink?
20 What colors do you like?

해설

1 대답의 on the table로 보아, 빈칸에는 위치 또는 장소를 묻는 Where가 알맞다.
  · A: 내 장갑이 어디에 있니?
    B: 그것은 탁자 위에 있다.
  ❶ 무엇　❷ 누구　❸ 어느 것　❹ 어디　❺ 어떻게, 얼마나

2 제한된 범위(strawberry or chocolate) 안에서 '어느' 아이스크림을 선택할지 묻고 있으므로 빈칸에는 Which가 알맞다.
  · A: 너는 딸기와 초콜릿 중에서 어느 아이스크림을 원하니?
    B: 나는 딸기 아이스크림을 원한다.
  ❶ 무슨　❷ 누구　❸ 어느　❹ 어디　❺ 어떻게, 얼마나

3 대답에 설탕의 양을 묘사하는 표현 two spoons of sugar를 보고 양을 묻는 질문임을 알 수 있다. 설탕처럼 셀 수 없는 물질의 양을 물을 때 how much를 사용해야 한다.
  · A: 너는 설탕이 얼마나 많이 필요하니?
    B: 나는 설탕 두 숟가락이 필요하다.
  ❶ 얼마나, 어떻게　❷ (수가) 얼마나 많은/많이
  ❸ (양이) 얼마나 많은/많이　❹ 얼마나 멀리　❺ 얼마나 자주

4 how 뒤에 형용사 또는 부사가 올 수 있지만, 명사는 올 수 없다. how old 나이가 몇 살 또는 얼마나 오래된, how tall 키가 몇, how heavy 무게가 얼마, how much 가격이 얼마라는 뜻이지만, color는 명사이기 때문에 how 뒤에 올 수 없다.
  · 그 닭은 얼마나 _____이니?
  ❶ 오래된　❷ 키가 큰　❸ 무거운　❹ 양이 많은　❺ 색

5 how many는 '몇 개'인지를 묻는 말이며, how many 다음에는 셀 수 있는 명사가 와야 한다. ❶~❸, ❺는 셀 수 있는 명사이므로 how many 뒤에 올 수 있지만 ❹ milk(우유)는

셀 수 없는 명사이므로 how much 뒤에 써야 한다.
· 너는 얼마나 많은 _____을 샀니?
❶ 달걀들 ❷ 바나나들 ❸ 책들 ❹ 우유 ❺ 샌드위치들

6 첫 번째 빈칸 뒤에는 명사가 있으므로, 명사를 꾸며 줄 수 있는 whose/what/which 중 하나가 와야 한다. 두 번째 빈칸 뒤에는 동사가 있으므로 주어 역할을 할 수 있는 의문사 who/what/which 중 하나가 와야 한다.
· 이것은 누구의 자전거니?
· 누가 설거지를 했니?
❶ 누구 – 누구 ❷ 누구 – 누구의 ❸ 누구의 – 누구
❹ 누구의 – 누구의 ❺ 언제 – 누구

7 첫 번째는 빈칸 뒤에 pencils라는 셀 수 있는 명사가 있으므로 개수를 묻는 how many가 와야 한다. 두 번째는 빈칸 뒤에 salt라는 셀 수 없는 명사가 있으므로 양을 묻는 how much가 와야 한다.
· 너는 연필을 얼마나 많이 가지고 있니?
· 내가 수프에 소금을 얼마나 많이 넣는 것이 좋겠니?
❶ 몇 개 – 몇 개 ❷ 얼마나 많이 – 얼마나 많이
❸ 몇 개 – 얼마나 많이 ❹ 얼마나 많이 – 몇 개
❺ 얼마나 긴/오래 – 얼마나 자주

8 조동사가 쓰인 의문사 의문문은 「의문사+조동사+주어+동사원형 ~?」으로 쓴다. ❹에서 조동사 should는 주어 I 앞으로 가야 한다.
❶ 너는 내일 누구에게 전화할 거니?
❷ 내가 너를 위해 무엇을 해 줄 수 있니?
❸ 너는 이번 여름에 어디로 여행 갈 거니?
❹ Why should I study English? 내가 왜 영어를 공부하는 것이 좋겠니?
❺ 내가 좋은 점수를 어떻게 받을 수 있니?

9 누구의 것(whose)인지 묻는 질문이므로, 대답은 my room 등과 같이 「소유격+명사」나, mine 등과 같이 소유대명사로 해야 한다.
· 이것은 누구의 방이니?
❶ 나다. ❷ 내 것이다. ❸ 그녀다. ❹ 너다. ❺ 내 여동생이다.

10 why를 사용하여 이유나 원인을 묻고 있으므로 because를 사용하여 대답하는 것이 자연스럽다.
· 너는 왜 에이미를 좋아하니?
❶ 아니, 그러지 않아. ❷ 응, 그래.
❸ 그녀는 분홍색을 좋아한다. ❹ 그녀는 열두 살이다.
❺ 그녀는 아주 친절하기 때문이다.

11 ❹ how often은 횟수를 묻는 질문인데, 대답은 '식사 후에'라는 때를 말하고 있으므로 어색하다.
❶ A: 네 드레스는 무슨 색이니? B: 그것은 흰색이다.
❷ A: 너는 어디 출신이니? B: 나는 한국의 서울 출신이다.
❸ A: 오늘 학교는 어땠니? B: 굉장히 좋았다.
❹ A: 너는 얼마나 자주 운동을 하니?
   B: 나는 저녁 식사 후에 운동을 한다.
❺ A: 이것과 저것 중에서 어느 가방이 더 좋아 보이니?
   B: 저것이 훨씬 더 좋아 보인다.

12 '나는 수학을 좋아한다.'고 대답하고 있으므로, 무슨 과목을 좋아하는지 묻는 질문이 알맞다. ❷는 요일을 묻는 질문, ❸은 시

간을 묻는 질문, ❹는 누구인지를 묻는 질문, ❺는 선택을 묻는 질문이다.
· A: 너는 무슨 과목을 좋아하니?
   B: 나는 수학을 좋아한다.
❷ 너는 무슨 요일에 수학 수업이 있니?
❸ 너는 몇 시에 일어나니?
❹ 누가 수학을 가르치시니?
❺ 수학과 과학 중에서 어느 과목이 더 어렵니?

13 for a week(일주일 동안)라는 대답으로 보아, 기간을 묻는 의문문이 와야 한다. ❶은 얼마인지를 묻는 질문, ❷는 빈도를 묻는 질문, ❸은 수를 묻는 질문, ❹는 거리를 묻는 질문, ❺는 기간을 묻는 질문이다.
· A: 닉은 파리에서 얼마나 오래 머물렀니?
   B: 그는 일주일 동안 머물렀다.
❶ 닉은 얼마나 많은 돈을 모았니
❷ 닉은 얼마나 자주 네게 전화했니
❸ 닉은 친구가 몇 명 있었니
❹ 닉은 얼마나 멀리 여행했니
❺ 닉은 얼마나 오래 머물렀니

14 의문사가 쓰인 일반동사 의문문에서는 do동사를 사용하여, 「의문사+do동사+주어+동사원형 ~?」으로 쓴다.

15 how far는 '얼마나 멀리'라는 뜻이고, how long은 '얼마나 오래'라는 뜻이다.

16 how many 뒤에는 셀 수 있는 명사의 복수형이 와야 한다.
· A: 너는 친구가 몇 명 있니?
   B: 나는 친구가 일곱 명 있다.

17 '누구의'라는 뜻으로 의문사 whose와 주어 this에 알맞은 be 동사 is를 쓴다.

18 이유를 묻는 의문사 why가 있는 일반동사 의문문이므로 「Why+do동사+주어+동사원형 ~?」이 되어야 한다. 따라서 빈칸에는 Why와 동사원형 cry를 써야 한다.

19 「How much+셀 수 없는 명사+do동사+주어+동사원형 ~?」으로 쓴다.

20 「What+명사+do동사+주어+동사원형 ~?」으로 쓴다.

●●03 현재 완료 시제 (1)

01 현재 완료 시제의 의미와 형태

만화 해석   54쪽

서니: 저는 어젯밤에 아팠어요. 아직도 아파요.
아빠: 네가 어젯밤부터 아프구나.

Grammar Walk!   55쪽

A 1 I [have washed] the car.
    2 It [has snowed] a lot.
    3 We [have seen] bats.

4 Kate [has eaten] Korean food.
5 You [have learned] English for four years.
6 Mr. Nelson [has taught] us for three months.
7 She [has cooked] dinner.
8 He [has opened] the window.

B 1 stopped   2 studied   3 talked
4 arrived   5 carried   6 stayed
7 left   8 been   9 fed
10 written   11 made   12 known

해설 **B** 1 멈추다   2 공부하다
3 말하다   4 도착하다
5 운반하다, 옮기다   6 머무르다
7 떠나다   8 ~이다, ~하다
9 먹이를 주다   10 쓰다
11 만들다   12 알다

02 현재 완료 시제의 부정문과 의문문

만화 해석   56쪽

엄마: 무슨 일이니, 잭?
잭: 저는 온종일 몸이 좋지 않아요.
아빠: 잭이 약을 먹었나요?
엄마: 아뇨, 안 먹었어요.

Grammar Walk!   57쪽

A 1 I [have not played] chess.
2 Kate [has not cleaned] the kitchen.
3 Mr. Miles [has not driven] a truck.
4 They [have not visited] New York before.
5 These books [have not been] popular.
6 Roy [has not felt] well since breakfast.
7 My sister [has not drunk] water since yesterday.
8 My brother and I [have not talked] since Monday.

B 1 Has [Kate] finished her homework already?
2 Have [you] met him before?
3 Have [they] fed their dog already?
4 Has [the rain] stopped?

5 Have [we] seen the picture?
6 Has [the show] started yet?

Grammar Run!   58~59쪽

A 1 talked   2 visited   3 liked
4 arrived   5 tried   6 studied
7 dropped   8 shopped   9 stayed
10 played   11 made   12 left
13 had   14 taught   15 bought
16 slept   17 met   18 spoken
19 worn   20 begun   21 sung
22 eaten   23 been   24 known
25 gone   26 done   27 run
28 become   29 read   30 put

B 1 has   2 have   3 have
4 has   5 has   6 have
7 has   8 have   9 eaten
10 worn   11 seen   12 built
13 grown   14 done   15 come

해설 **A** 1 말하다   2 방문하다
3 좋아하다   4 도착하다
5 시도하다   6 공부하다
7 떨어뜨리다   8 쇼핑하다
9 머무르다   10 놀다
11 만들다   12 떠나다
13 가지다   14 가르치다
15 사다   16 잠을 자다
17 만나다   18 말하다
19 입다   20 시작하다
21 노래하다   22 먹다
23 ~이다, ~하다   24 알다
25 가다   26 하다
27 달리다   28 ~이 되다
29 읽다   30 두다, 놓다

Grammar Jump!   60~61쪽

A 1 have   2 have   3 has
4 has   5 has   6 hasn't
7 haven't   8 haven't   9 Has
10 Has   11 Have   12 have
13 hasn't   14 haven't

B
1 have drawn
2 have finished
3 has been
4 has taught
5 has grown
6 have, seen
7 have, fallen
8 has, won
9 has, done
10 has, come
11 Have, met
12 Have, heard
13 Have, found
14 Has, rained
15 Has, made

Grammar Fly!
62~63쪽

A
1 has worn
2 have watered
3 has been
4 has barked
5 have studied
6 haven't seen
7 hasn't arrived
8 hasn't ridden
9 haven't drunk
10 Has, cleaned
11 Have, sent
12 Has, been

B
1 has not worked
2 have not talked
3 have not flown
4 have not spoken
5 has not sold
6 has not taught
7 Have, studied
8 Has, stopped
9 Have, known
10 Has, written
11 Have, done
12 Has, practiced

해설 **B**
1 그는 작년부터 우체국에서 일해 왔다.
2 우리는 한 시간째 이야기한다.
3 그 새들은 남쪽으로 날아갔다.
4 그들은 5년 동안 프랑스 어를 말해 왔다.
5 그녀는 자신의 낡은 차를 팔았다.
6 무어 선생님은 지난주부터 우리를 가르치신다.
7 우리는 수학을 공부했다.
8 그 시계는 멈추었다.
9 너는 그 비밀을 알고 있었다.
10 그는 많은 책을 써 왔다.
11 그들은 이미 설거지를 했다.
12 그 축구 동아리는 토요일마다 연습해 왔다.

Grammar & Writing
64~65쪽

A
1 has taken ballet lessons
2 has played soccer
3 has drawn pictures
4 has collected stamps
5 has ridden a horse

B
1 Have, cleaned
2 Have, eaten
3 Have, watered
4 Have, washed
5 Have, made
6 Have, done

해설 **A** 1 (발레 교습을 받다) 클라라는 2년 동안 발레 교습을 받아 왔다.
2 (축구를 하다) 벤은 5년 동안 축구를 해 왔다.
3 (그림을 그리다) 린다는 6개월 동안 그림을 그려 왔다.
4 (우표를 수집하다) 카일은 3년 동안 우표를 수집해 왔다.
5 (말을 타다) 리사는 1년 동안 말을 타 왔다.

B 1 A: 너는 네 방을 청소했니, 에릭? (청소하다)
B: 응, 그랬어.
2 A: 너는 과자를 먹었니, 제니? (먹다)
B: 응, 그랬어.
3 A: 너는 식물에 물을 줬니, 에이미? (물을 주다)
B: 응, 그랬어.
4 A: 너는 엄마 차를 세차했니, 앤디? (씻다, 씻기다)
B: 응, 그랬어.
5 A: 너는 포스터를 만들었니, 몰리? (만들다)
B: 응, 그랬어.
6 A: 너는 설거지를 했니, 칼? (하다)
B: 응, 그랬어.

UNIT TEST · 03
66~70쪽

1 ⑤	2 ④	3 ④	4 ④
5 ⑤	6 ②	7 ④	8 ③
9 ⑤	10 ②	11 ②	12 ④
13 ③	14 ⑤	15 have	

16 hasn't 17 have 18 taught 19 Have
20 not heard 21 Have, cleaned
22 Have, met 23 has not rained
24 have studied 25 has lived

해설

1 hear는 불규칙하게 변하는 동사로 올바른 과거분사형은 heard이다.
❶ 오다 ❷ 치다 ❸ 달리다 ❹ 자르다
❺ hear 듣다 – heard
2 make는 불규칙하게 변하는 동사로 올바른 과거분사형은 made이다.
❶ 가르치다 ❷ 떠나다 ❸ 찾다 ❹ make 만들다 – made
❺ 다투다

3 have는 불규칙하게 변하는 동사로 올바른 과거분사형은 had이다.
❶ ~이다, ~하다 ❷ 먹다 ❸ 가다 ❹ have 가지다 – had ❺ 하다

4 10년 전 '과거'부터 지금 '현재'까지 10년 동안 서로 알고 있다는 의미이다. 문장의 의미와 빈칸 뒤에 있는 know의 과거분사형 known으로 보아 「have/has+과거분사」의 현재 완료 시제가 되어야 한다. 주어(They)가 복수이므로 빈칸에는 have가 알맞다.

5 '과거'에 시작한 숙제를 '현재'까지 끝내지 않았다는 의미이다. 문장의 의미와 빈칸 뒤에 있는 과거분사 finished로 보아 「have/has not+과거분사」의 현재 완료 시제의 부정문이 되어야 한다. 주어(Alisa)가 3인칭 단수이므로 빈칸에는 hasn't가 알맞다.

6 주어 뒤에 has가 쓰인 것으로 보아 현재 완료 시제의 문장이다. 따라서 빈칸에는 과거분사형을 써야 한다. find(찾다)는 동사원형이다.
❶ 그는 그 개를 잃어버렸다. ❸ 그는 그 개에게 먹이를 주었다. ❹ 그는 그 개를 산책시켰다. ❺ 그는 그 개를 본 적이 있다.

7 주어 뒤에 haven't가 쓰인 것으로 보아 현재 완료 시제의 부정문이다. 따라서 빈칸에는 과거분사형을 써야 한다. began은 begin(시작하다)의 과거형이다.
❶ 나는 아직 끝내지 않았다. ❷ 나는 아직 먹지 않았다. ❸ 나는 아직 말하지 않았다. ❺ 나는 아직 출발하지 않았다.

8 현재 완료 시제의 의문문에 긍정으로 대답할 때는 「Yes, 주어(대명사)+have/has.」로 말한다.
❸ 응, 그랬어.

9 현재 완료 시제의 의문문에 부정으로 대답할 때는 「No, 주어(대명사)+haven't/hasn't.」로 말한다. 주어가 I이므로 haven't를 쓴다.
❺ 아니, 없어.

10 현재 완료 시제의 의문문에는 have 또는 has를 사용하여 긍정일 때는 「Yes, 주어(대명사)+have/has.」, 부정일 때는 「No, 주어(대명사)+haven't/hasn't.」로 대답한다. ❷의 대화는 현재 완료 시제로 묻고 있으므로, Yes, it has.로 대답해야 자연스럽다.
❶ A: 너는 이미 설거지를 했니?
　 B: 응, 그랬어.
❷ A: 네 손목시계는 멈췄니?
　 B: Yes, it has. 응, 그랬어.
❸ A: 그는 2년 동안 안경을 써 왔니?
　 B: 아니, 그러지 않았어.
❹ A: 그들은 식물에 물을 주었니?
　 B: 아니, 그러지 않았어.
❺ A: 그 남자아이들은 축구를 했니?
　 B: 응, 그랬어.

11 현재 완료 시제의 부정문은 have 뒤에 not을 쓰고, haven't로 줄여 쓸 수 있으므로 빈칸에는 haven't lived가 알맞다.
• 우리는 3년 동안 시카고에서 살아 왔다.
→ 우리는 3년 동안 시카고에서 살고 있지 않다.

12 현재 완료 시제의 의문문은 Have/Has를 주어 앞으로 보내어 「Have/Has+주어+과거분사 ~?」의 형태로 쓴다. 따라서 빈칸에는 Has she written이 알맞다.
• 그녀는 편지 세 통을 썼다.
→ 그녀는 편지 세 통을 썼니?

13 Has로 시작하고, haven't가 있는 것으로 보아 현재 완료 시제의 의문문과 부정문이므로 빈칸에는 go와 feel의 과거분사형인 gone과 felt가 알맞다. 현재 완료 시제의 의문문은 「Have/Has+주어+과거분사 ~?」의 형태이고, 부정문은 「have/has not+과거분사」를 사용해서 나타낸다.

14 첫 번째 문장은 빈칸 앞에 has가 있고, 두 번째 문장은 Have로 시작한 것으로 보아, 두 문장 모두 현재 완료 시제의 문장이다. 따라서 빈칸에는 be동사와 ride의 과거분사형인 been과 ridden이 알맞다.

15 '과거'부터 '현재'까지 그 남자 배우를 본 경험이 있다는 의미이므로 「have/has+과거분사」의 현재 완료 시제 문장이 되어야 한다. 주어(My parents)가 복수이므로 have가 알맞다.

16 괄호 뒤에 있는 play의 과거분사 played로 보아 「have/has not+과거분사」의 현재 완료 시제의 부정문이 되어야 한다. 주어(He)가 3인칭 단수이므로 has not의 줄임말인 hasn't가 알맞다. 한 달 전 '과거'부터 '현재'까지 한 달 동안 계속 피아노를 치지 않고 있다는 의미이다.

17 현재 완료 시제의 의문문에 긍정으로 대답할 때는 「Yes, 주어(대명사)+have/has.」로 말한다. you로 물었으므로 I를 주어로 하여 have를 사용하여 대답한다.

18 과거인 작년부터 현재까지 가르치신다는 의미이고, 밑줄 친 동사 앞에 has가 있으므로 「have/has+과거분사」의 현재 완료 시제 문장이 되어야 한다. 따라서 teach는 과거분사인 taught로 고쳐 써야 한다.

19 의문문의 주어 뒤에 know의 과거분사형인 known이 있으므로 「Have/Has+주어+과거분사 ~?」의 현재 완료 시제 의문문이 되어야 한다. 주어(you)가 2인칭이므로 Did는 Have로 고쳐 써야 한다.

20 현재 완료 시제의 부정문은 「have/has not+과거분사」로 나타낸다. 주어(She)가 3인칭 단수이므로 has 뒤에 not을 써서 not heard로 고쳐 써야 한다.

21 '과거'에 청소를 시작해서 '현재' 끝낸 상태인지 묻고 있으므로 현재 완료 시제의 의문문이 되어야 한다. 현재 완료 시제의 의문문은 Have/Has를 주어 앞으로 보내어 「Have/Has+주어+과거분사 ~?」의 형태로 쓴다. 주어(you)가 2인칭이므로 Have를 쓰고, clean의 과거분사인 cleaned를 쓴다.

22 전부터 현재까지 서로 만난 적이 있는지 묻고 있으므로 「Have/Has+주어+과거분사 ~?」의 현재 완료 시제의 의문문이 되어야 한다. 주어(we)가 복수이므로 Have를 쓰고, meet의 과거분사형인 met을 쓴다.

23 현재 완료 시제의 부정문은 have/has 뒤에 not을 써서 「have/has not+과거분사」로 나타낸다. 주어(It)가 3인칭 단수이므로 has not을 쓰고, rain의 과거분사형인 rained를 쓴다. '과거'인 지난달부터 '현재'까지 계속 비가 오지 않는다는 의미이다.

24 3년 전 '과거'부터 '현재'까지 3년째 영어를 계속 공부하고 있다는 의미이므로 현재 완료 시제인 「have/has+과거분사」

의 형태로 쓴다. 주어(You)가 2인칭이므로 study의 과거분사형인 studied와 함께 have studied로 쓴다.

25 5년 전 '과거'부터 '현재'까지 5년째 계속 여기에 살고 있다는 의미이므로 「have/has+과거분사」의 현재 완료 시제의 문장이 되어야 한다. 주어(He)가 3인칭 단수이므로 live의 과거분사형인 lived와 함께 has lived로 쓴다.

Wrap Up 71쪽

1
1 과거   2 현재   3 have
4 has

2
1 not   2 과거분사   3 Yes
4 haven't   5 hasn't

Check Up
seen, has, haven't

만화 해석
엄마: 안돼, 스노위!
잭: 스노위를 봤니?
서니: 그는 온종일 내 방에 있어.
잭: 너 아무 음식도 먹지 않았구나.
엄마: 미안, 스노위. 이제 먹으렴.

Unit 04 현재 완료 시제 (2)

01 현재 완료 시제 – 경험

만화 해석 74쪽
서니: 말을 타 보신 적이 있으세요?
아빠: 물론이지. 말을 타 본 적이 한 번 있단다.

Grammar Walk! 75쪽

A
1 I have seen the girl [before].
2 My uncle has been to Turkey [once].
3 Tom has volunteered at a hospital [twice].
4 They have watched the musical [several times].
5 They have [never] skated.
6 She and Kamil have [never] eaten pork.
7 She hasn't worn the dress [before].
8 We haven't visited New York [before].

B
1 c.   2 d.   3 e.
4 b.   5 a.

02 현재 완료 시제 – 완료

만화 해석 76쪽
서니: 우리는 지금 막 저녁 식사를 시작했어.
종업원: (식사가) 끝났나요?
잭: 아니요, 안 끝났어요.

Grammar Walk! 77쪽

A
1 I have finished the homework [already].
2 You have [already] eaten three sandwiches.
3 Mom has [just] come home.
4 The movie has [just] begun.
5 The snow hasn't stopped [yet].
6 Eddy and his friends haven't heard the news [yet].
7 Your Christmas card hasn't arrived [yet].
8 They haven't left for London [yet].

B
1 ❷   2 ❶   3 ❷
4 ❷   5 ❷

Grammar Run! 78~79쪽

A
1 won   2 been   3 seen
4 broken   5 swum   6 given
7 written   8 driven   9 left
10 wiped   11 fixed   12 had
13 found   14 sent   15 read

B
1 have won   2 has seen
3 have told   4 has ridden
5 have been   6 have eaten
7 has begun   8 has, brushed
9 have, met   10 has swept
11 have, flown   12 has, bought

Grammar Jump! 80~81쪽

A
1 haven't met   2 has, heard
3 have, won   4 hasn't done
5 haven't cleaned   6 hasn't arrived

7 Have, written   8 Has, had
9 Have, seen   10 Have, fed
11 Has, stopped   12 Has, begun

B 1 I have   2 I haven't
3 she has   4 he hasn't
5 we haven't   6 they have
7 they have   8 it has
9 they haven't   10 they haven't
11 he has   12 she hasn't

해설 **A** 1 나는 전에 그를 만난 적이 있다.
    → 나는 전에 그를 만난 적이 없다.
2 그는 전에 그 이야기를 들은 적이 있다.
    → 그는 전에 그 이야기를 들은 적이 전혀 없다.
3 그들은 전에 금메달을 딴 적이 있다.
    → 그들은 전에 금메달을 딴 적이 한 번도 없다.
4 그녀는 이미 숙제를 했다.
    → 그녀는 아직 숙제를 하지 않았다.
5 우리는 이미 욕실을 청소했다.
    → 우리는 아직 욕실을 청소하지 않았다.
6 피터는 지하철역에 도착했다.
    → 피터는 지하철역에 도착하지 않았다.
7 우리 언니들은 전에 시를 쓴 적이 있다.
    → 우리 언니들이 시를 쓴 적이 있니?
8 그녀는 전에 애완동물을 가져 본 적이 있다.
    → 그녀는 애완동물을 가져 본 적이 있니?
9 그의 부모님은 유명한 가수를 보신 적이 있다.
    → 그의 부모님은 유명한 가수를 보신 적이 있니?
10 그들은 방금 자기들 개에게 먹이를 주었다.
    → 그들은 자기들 개에게 방금 먹이를 주었니?
11 눈은 이미 그쳤다.
    → 눈이 벌써 그쳤니?
12 그 콘서트는 이미 시작했다.
    → 그 콘서트는 벌써 시작했니?

Grammar Fly!
82~83쪽

A 1 seen   2 written   3 have
4 has   5 cleaned   6 has
7 hasn't   8 hasn't   9 haven't
10 has not   11 taken   12 Have

B 1 have read   2 has met
3 has broken   4 have eaten
5 has, taken   6 have, left

7 has washed   8 have, finished
9 has, begun   10 hasn't come
11 haven't had   12 Have, heard
13 Has, been   14 Has, sung
15 Has, stopped

Grammar & Writing
84~85쪽

A 1 has visited LA
2 has won a singing contest
3 has volunteered at the library
4 has traveled to China
5 has ridden a horse
6 have run a marathon

B 1 I have made my bed
2 I have fed the dog
3 I have finished my homework
4 I haven't[have not] exercised
5 I haven't[have not] practiced the piano
6 I haven't[have not] written in my diary

해설 **A** 1 (로스앤젤레스를 방문하다) 에리카는 전에 로스앤젤레스를 방문한 적이 있다.
2 (노래 경연 대회에서 우승하다) 낸시는 전에 노래 경연 대회에서 우승한 적이 있다.
3 (도서관에서 자원봉사를 하다) 댄은 전에 도서관에서 자원봉사를 한 적이 있다.
4 (중국으로 여행을 가다) 브라이언은 전에 중국으로 여행을 간 적이 있다.
5 (말을 타다) 올리비아는 전에 말을 타 본 적이 있다.
6 (마라톤을 뛰다) 테드와 케이트는 전에 마라톤을 뛴 적이 있다.

B make my bed 내 잠자리를 정돈하다, feed the dog 개에게 먹이를 주다, finish my homework 내 숙제를 끝내다, exercise 운동하다, practice the piano 피아노를 연습하다, write in my diary 일기를 쓰다
1 나는 이미 잠자리를 정리했다.
2 나는 이미 개에게 먹이를 주었다.
3 나는 이미 숙제를 끝냈다.
4 나는 아직 운동을 하지 않았다.
5 나는 아직 피아노를 연습하지 않았다.
6 나는 아직 일기를 쓰지 않았다.

UNIT TEST ·· 04

86~90쪽

1 ⑤	2 ⑤	3 ④	4 ⑤
5 ⑤	6 ⑤	7 ④	8 ①
9 ③	10 ④	11 ③	12 ④
13 ③	14 ⑤	15 ③	

16 Have 17 Has 18 not volunteered

19 Has 20 hasn't 21 have watched

22 has not heard 23 have finished

24 have, had 25 Has, stopped

해설

1 eat는 불규칙하게 변하는 동사로 올바른 과거분사형은 eaten이다.
❶ 뜨개질하다 ❷ 멈추다 ❸ 듣다 ❹ 오다
❺ eat 먹다 – eaten

2 make는 불규칙하게 변하는 동사로 올바른 과거분사형은 made이다.
❶ 입다 ❷ 만나다 ❸ 유지하다 ❹ 찾다
❺ make 만들다 – made

3 '~해 본 적[경험]이 있다'라는 경험을 나타내고 있고, 빈칸 뒤에 tell의 과거분사형인 told가 있으므로 현재 완료 시제의 문장이다. 주어(You)가 2인칭이므로 빈칸에는 have가 알맞다.

4 '아직 ~하지 않았다'라는 뜻으로 현재까지 완료하지 않은 일을 나타내고 있고, 빈칸 뒤에 arrive의 과거분사형인 arrived가 있으므로, 현재 완료 시제의 부정문이다. 주어(Your Christmas card)가 3인칭 단수이므로 빈칸에는 hasn't가 알맞다.

5 '벌써 ~했니?'라는 뜻으로 현재 어떤 일을 완료했는지 묻고 있고, 빈칸 뒤에 주어와 come의 과거분사형인 come이 있으므로 현재 완료 시제의 의문문이다. 주어(she)가 3인칭 단수이므로 빈칸에는 Has가 알맞다.

6 '~해 본 적이 있다'라는 뜻으로 과거에서 현재까지의 경험을 나타내는 현재 완료 시제를 써야 한다. 주어(He)가 3인칭 단수이므로 has seen으로 고쳐 쓴다.

7 '아직 ~하지 않았다'라는 뜻으로 현재까지 완료되지 않은 일을 나타내므로 「haven't/hasn't+과거분사」의 현재 완료 시제 부정문이 되어야 한다. 주어(The birds)가 복수이므로 haven't로 고쳐 쓴다.

8 '~해 본 적이 한 번도 없다'라는 뜻으로 경험을 나타내는 현재 완료 시제의 부정문은 「have/has never+과거분사」로 나타낸다. 따라서 never ridden으로 고쳐 쓴다.

9 경험을 묻는 현재 완료 시제의 의문문에 긍정으로 대답할 때는 「Yes, 주어(대명사)+have/has.」로 한다. 질문의 주어(you)가 2인칭이므로 대명사 I를 쓴 Yes, I have.가 알맞다.
❸ 응, 있어.

10 완료를 묻는 현재 완료 시제의 의문문에 부정으로 대답할 때는 「No, 주어(대명사)+haven't/hasn't.」로 한다. 질문의 주어(the show)가 3인칭 단수이므로 대명사 it을 쓴 No, it

hasn't.가 알맞다.
❹ 아니, 그러지 않았어.

11 '~한 적[경험]이 …번 있다'라는 뜻으로 과거에서 현재까지의 경험의 횟수를 나타낼 때 「have/has+과거분사」의 현재 완료 시제를 쓴다. 주어(He)가 3인칭 단수이므로 has been을 쓰고, 뒤에 '여러 번'이라는 뜻의 many times를 쓴다.
❷ 그는 학교에 지각했다.
❺ 그는 학교에 지각한 적이 한 번도 없다.

12 '방금 ~했다'라는 뜻으로 지금 막 완료한 일을 나타낼 때 「have/has just+과거분사」의 현재 완료 시제를 쓴다. 주어(We)가 복수이므로 have just fed를 쓴다.
❶ 우리는 그 강아지에게 먹이를 준다.
❷ 우리는 그 강아지에게 먹이를 주지 않는다.
❸ 우리는 전에 그 강아지에게 먹이를 준 적이 있다.
❺ 우리는 아직 그 강아지에게 먹이를 주지 않았다.

13 빈칸 뒤에 있는 eat의 과거분사 eaten과 run의 과거분사 run으로 보아 '이미 ~했다'라는 완료와 '한 번도 ~해 본 적이 없다'라는 경험을 나타내는 현재 완료 시제의 문장이 되어야 한다. I는 1인칭이고, He는 3인칭 단수이므로 빈칸에는 각각 have와 has가 알맞다.

14 Has와 Have로 시작하는 현재 완료 시제의 의문문이다. 따라서 빈칸에는 과거분사형을 써야 한다. '떠나다(leave)'와 '가지다(have)'의 과거분사형은 left와 had이다.

15 현재 완료 시제는 「have/has+과거분사」로 나타낸다. 주어가 1인칭, 2인칭, 그리고 복수일 때는 have, 3인칭 단수일 때는 has를 쓴다.
❶ She has made her bed already. 그녀는 이미 잠자리를 정리했다.
❷ Tina has taken a ballet lesson before. 티나는 전에 발레 교습을 받은 적이 있다.
❸ 엄마는 방금 저녁 식사를 요리하셨다.
❹ I have visited the zoo before. 나는 전에 그 동물원을 방문한 적이 있다.
❺ Jennifer has eaten *gimchi* before. 제니퍼는 전에 김치를 먹어 본 적이 있다.

16 괄호 뒤에 있는 visit의 과거분사 visited와 대답에서 주어 I 뒤의 have로 보아 현재 완료 시제의 의문문이므로 Have가 알맞다.
• A: 너는 캐나다를 방문해 본 적이 있니?
  B: 응, 있어.

17 괄호 뒤에 있는 wash의 과거분사 washed와 대답에서 주어 she 뒤의 hasn't로 보아 현재 완료 시제의 의문문이다. 의문문의 주어(she)가 3인칭 단수이므로 Has가 알맞다.
• A: 그녀는 이미 설거지를 끝냈니?
  B: 아니, 안 그랬어.

18 '~해 본 적이 없다'라는 뜻의 경험을 나타내는 현재 완료 시제의 부정문은 have 또는 has 뒤에 not을 쓴다. 따라서 not volunteered로 써야 한다.

19 '벌써 ~했니?'라는 뜻의 완료를 나타내는 현재 완료 시제의 의문문은 주어와 have/has의 위치를 바꿔 쓴다. 주어(the plane)가 3인칭 단수이므로 Has가 알맞다.

20 '~한 적이 없다'라는 뜻의 경험을 나타내는 현재 완료 시제의 부정문은 have/has 뒤에 not을 쓰고 이는 haven't와 hasn't로 줄여 쓸 수 있다. 주어(He)가 3인칭 단수이므로 hasn't를 써야 한다.

21 '~해 본 적이 있다'라는 경험을 나타내는 현재 완료 시제의 평서문은 주어가 I일 때 「have+과거분사」를 사용해 쓴다. watch의 과거분사형은 watched이다.

22 '아직 ~하지 않았다'라는 완료를 나타내는 현재 완료 시제의 부정문은 주어가 He처럼 3인칭 단수일 때 「has not+과거분사」를 사용해 쓴다. hear의 과거분사형은 heard이다.

23 '(이미) ~(완료)했다'라는 뜻의 완료를 나타내는 현재 완료 시제의 평서문은 주어가 They처럼 복수일 때 「have+과거분사」를 사용해 쓴다. finish의 과거분사형은 finished이다.

24 '방금 ~(완료)했다'라는 뜻의 완료를 나타내는 현재 완료 시제의 평서문은 주어가 We처럼 복수일 때 「have+과거분사」를 사용해 쓴다. have의 과거분사형은 had이다.

25 '벌써 ~했니'라는 뜻의 완료를 나타내는 현재 완료 시제의 의문문은 주어가 the rain처럼 3인칭 단수일 때 「Has+주어+과거분사 ~?」로 쓴다. stop의 과거분사형은 stopped이다.

Wrap Up
91쪽

1 1 과거   2 현재   3 경험
2 1 과거   2 현재   3 완료

Check Up
haven't, skated, have

만화 해석
동네 오빠: 넌 스케이트 타 본 적이 있니?
서니: 아니, 없어.
동네 오빠: 나는 전에 스케이트를 타 본 적이 있어.
동네 오빠: 봐! 나는 스케이트를 잘 탈 수 있어.
동네 오빠: 아야! 방금 내 팔을 다쳤어.

Review Test ·· 02
92~95쪽

1 ❺   2 ❺   3 ❹   4 ❺
5 ❷   6 ❹   7 ❸   8 ❺
9 ❸   10 ❸   11 ❸   12 ❺
13 ❶   14 ❸   15 ❸   16 Have
17 have, swept   18 has begun
19 I have never been late for school.
20 Have you ever swum with dolphins?

해설

1 break는 broke – broken으로 변화한다. 따라서 과거분사는 broken이다.

❶ ~이다, ~하다 ❷ 치다 ❸ 가다 ❹ 시작하다
❺ break 깨뜨리다 – broken

2 see는 saw – seen으로 변화한다. 따라서 과거분사는 seen이다.
❶ 먹다 ❷ 자라다 ❸ 발견하다 ❹ 하다
❺ see 보다 – seen

3 빈칸 뒤에 know의 과거분사형인 known이 있으므로, 현재 완료 시제를 만드는 have/has가 와야 한다. 주어가 We이므로 have가 알맞다.

4 빈칸 뒤에 wash의 과거분사형인 washed가 있으므로, 현재 완료 시제를 만드는 haven't/hasn't가 와야 한다. 주어 Dad가 3인칭 단수이므로 hasn't가 알맞다.

5 주어 뒤에 be동사의 과거분사형인 been이 있으므로, 현재 완료 시제를 만드는 Have/Has가 와야 한다. 주어가 2인칭인 you이므로 Have가 알맞다.

6 빈칸 앞에 has가 있으므로 빈칸에는 과거분사가 와야 한다.
❹ lose는 동사원형이다.
❶ 그녀는 그 자전거를 고쳤다.
❷ 그녀는 그 자전거를 페인트칠했다.
❸ 그녀는 그 자전거를 고장 냈다.
❺ 그녀는 그 자전거를 씻었다.

7 빈칸 앞에 hasn't가 있으므로 빈칸에는 과거분사가 와야 한다. ❸ has는 have의 3인칭 단수 현재형이다.
❶ 그는 아직 저녁 식사를 요리하지 않았다.
❷ 그는 아직 저녁 식사를 하지 않았다.
❹ 그는 아직 저녁 식사를 끝내지 않았다.
❺ 그는 아직 저녁 식사를 시작하지 않았다.

8 현재 완료 시제의 부정문은 「haven't/hasn't+과거분사」로 표현한다. leave의 과거분사형은 left이다.
• 리사는 이미 학교로 떠났다. → 리사는 아직 학교로 떠나지 않았다.

9 현재 완료 시제의 의문문은 「Have/Has+주어+과거분사 ~?」로 쓴다. 주어(school)가 3인칭 단수이므로 Has와 begin의 과거분사형 begun을 쓴 Has school begun이 알맞다.
• 학교는 이미 시작했다. → 학교가 벌써 시작했니?

10 현재 완료 시제의 의문문은 「Have/Has+주어+과거분사 ~?」로 쓴다. 주어(you)가 2인칭이므로 Have와 sing의 과거분사형 sung을 쓴 Have you ever sung이 알맞다.
• 너는 전에 저 노래를 부른 적이 있다. → 너는 저 노래를 부른 적이 있니?

11 현재 완료 시제 의문문에 긍정으로 대답할 경우, 「Yes, 주어(대명사)+have/has.」로 한다. 의문문의 주어가 Ms. Scott으로 3인칭 단수이면서 여성이므로, she와 has를 사용해서 대답하는 것이 알맞다.

12 현재 완료 시제의 의문문에 부정으로 대답할 경우, 「No, 주어(대명사)+haven't/hasn't.」로 한다. 의문문의 주어가 you이므로, I와 have를 사용해서 대답하는 것이 알맞다.

13 현재 완료 시제의 부정문에서 not은 have/has 뒤에 온다.
❶ She has not worn glasses before. 그녀는 전에 안경을 쓴 적이 없다.

❷ 그녀는 전에 연을 만들어 본 적이 없다.

❸ 그는 전에 펭귄을 본 적이 있니?

❹ 나는 전에 팔이 부러진 적이 없다.

❺ 그 나라는 전에 월드컵에서 우승한 적이 있니?

14 Have로 시작하는 현재 완료 시제의 의문문이므로 빈칸에는 ride의 과거분사형 ridden이 와야 한다. 부정으로 대답할 경우 「No, 주어(대명사)+haven't/hasn't.」로 한다.

15 Has로 시작하는 현재 완료 시제의 의문문이므로 빈칸에는 eat의 과거분사형 eaten이 와야 한다. 긍정으로 대답할 경우, 「Yes, 주어(대명사)+have/has.」로 한다.

16 대답의 No, I haven't.로 보아, 의문문은 현재 완료 시제이므로 주어 you에 적합한 Have로 고친다.
  • A: 너는 스케이트를 타 본 적이 있니?
    B: 아니, 없어.

17 어떤 일이 지금 막 완료되었음을 나타낼 때 「have/has+just+과거분사」의 현재 완료 시제로 표현한다. 주어 We에 알맞은 have와 sweep의 과거분사형 swept를 쓴다.

18 콘서트가 이미 시작했다라는 '완료'를 나타낼 때 「have/has +과거분사」의 현재 완료 시제로 표현한다. 주어 The concert 에 알맞은 has와 begin의 과거분사형 begun을 쓴다.

19 never는 have와 과거분사 사이에 온다.

20 '~해 본 적이 있니?'라는 '경험'을 물을 때 「Have/Has+주어+(ever)+과거분사 ~?」의 현재 완료 시제로 표현한다.

Unit 05 현재 완료 시제 (3)

01 현재 완료 시제 - 계속

만화 해석 98쪽

서니는 두 달 동안 바이올린을 연습해 왔다.
잭은 두 달 동안 피아노를 연습해 왔다.

Grammar Walk! 99쪽

A 1 My aunt has lived in New York [for 15 years].

2 It has snowed a lot [since last weekend].

3 The tigers have slept [for one hour].

4 They have practiced ballet [for two hours].

5 We haven't seen Ted [since yesterday].

6 I haven't listened to the radio [since September].

7 The monkey hasn't eaten bananas [for two weeks].

8 Jack hasn't written in his diary [since last Friday].

B 1 a.   2 d.   3 e.
4 b.   5 c.

02 현재 완료 시제 - 결과

만화 해석 100쪽

엄마: 내가 열쇠를 잃어버렸구나. 네 열쇠를 사용하렴.
서니: 죄송해요, 엄마. 그걸 제 방에 두었어요.

Grammar Walk! 101쪽

A 1 They [have gone] to Italy.

2 We [have lost] our puppy.

3 The car [has broken] down.

4 I [have forgotten] his name.

5 Tom [has lost] a lot of weight.

6 [Have] you [left] your racket at home?

7 [Has] she [hurt] her arm?

8 [Has] the milk [gone] bad?

B 1 b.   2 a.   3 d.   4 c.

Grammar Run! 102~103쪽

A 1 known   2 lived   3 rained
4 broken   5 lost   6 left
7 gone   8 spoken   9 met
10 used   11 worn   12 had
13 been   14 sold   15 forgotten

B 1 ❶   2 ❶   3 ❶   4 ❷
5 ❷   6 ❶   7 ❷   8 ❶
9 ❶   10 ❷   11 ❷   12 ❷

해설 B 1 나는 3년 동안 발레 교습을 받아 왔다.

2 그는 15년 동안 비행기 조종사이다.

3 우리 강아지는 어제부터 아프다.

4 그들은 작년부터 그곳에 살지 않는다.

5 줄리와 나는 3개월 동안 영화를 보지 않고 있다.

6 지난달부터 비가 오지 않는다.

7 우리는 그 자전거를 팔아 버렸다.

8 내 다리가 부러졌다.

9 그는 지갑을 잃어버렸다.

10 내 여동생들은 학교에 가고 없다.

11 서니는 그 주소를 잊어버렸다.

12 너는 우산을 학교에 두고 왔다.

Grammar Jump!
104~105쪽

A 1 has practiced 2 have stayed
3 has known 4 have raised
5 has gone 6 have sold
7 have drunk 8 has broken
9 have, eaten 10 has, taught
11 hasn't slept 12 Have, had
13 Have, studied 14 Has, left
15 Has, lost

B 1 has worn 2 has been
3 has found 4 have gone
5 have, checked 6 has, drawn
7 have, played 8 have, seen
9 Has, snowed 10 Have, written
11 Has, forgotten 12 Has, flown

Grammar Fly!
106~107쪽

A 1 have 2 has 3 learned
4 been 5 eaten 6 has
7 left 8 gone 9 hasn't
10 haven't 11 has not 12 Has
13 Have 14 forgotten 15 broken

B 1 She has taken piano lessons for ten years.
2 Grandma has stayed at my house since last month.
3 They have known Ben since 2010.
4 Diana has broken the cup.
5 My English teacher has gone to London.
6 She has left her umbrella at school.
7 Tom has not cleaned his room for a month.
8 He hasn't washed his car since last year.
9 I haven't written a letter since June.
10 Has it rained a lot since last night?
11 Has she been busy for three weeks?
12 Have they sold the painting?
13 Have you lost an eraser?

해설 A 1 우리는 4년 동안 햄스터 한 마리를 기르고 있다.
2 우리 고모는 2000년부터 인도에 살고 계신다.
3 그녀는 3년 동안 중국어를 배워 왔다.
4 내 남동생들은 지난 주말부터 아프다.
5 너는 빵을 모두 먹어 버렸다.

6 제임스는 자기 손목시계를 잃어버렸다.
7 나는 버스에 내 배낭을 두고 내렸다.
8 엄마는 쇼핑하러 가고 안 계신다.
9 벨라는 2주 동안 컴퓨터 게임을 하지 않고 있다.
10 나는 지난해부터 감기에 걸리지 않는다.
11 폴은 지난달부터 새 셔츠를 사지 않는다.
12 잭은 5년 동안 수영을 해 왔니?
13 너는 그 파티 이후로 토머스를 보았니?
14 너는 비밀번호를 잊어버렸니?
15 그녀는 자기 안경을 깨뜨렸니?

Grammar & Writing
108~109쪽

A 1 has lost his wallet
2 has lost her umbrella
3 have lost their cat
4 has lost her cell phone
5 has lost his cap
6 has lost her gloves

B 1 Have, played, eleven
2 Have, skated, seven
3 Have, ridden, ten
4 Have, swum, thirteen
5 Have, skied, nine

해설 A 1 (그의 지갑) 그 남자는 자기 지갑을 잃어버렸다.
2 (그녀의 우산) 그 여자아이는 자기 우산을 잃어버렸다.
3 (그들의 고양이) 그들은 자기들의 고양이를 잃어버렸다.
4 (그녀의 휴대 전화) 그 숙녀는 자기 휴대 전화를 잃어버렸다.
5 (그의 모자) 그 남자아이는 자기 모자를 잃어버렸다.
6 (그녀의 장갑) 그 여자는 자기 장갑을 잃어버렸다.

B 1 Q: 당신은 야구를 11년 동안 해 왔나요?
A: 네, 그래요. 저는 3학년 때부터 야구를 해 왔어요.
2 Q: 당신은 5년 동안 스케이트를 타 왔나요?
A: 아니요, 안 그래요. 저는 7년 동안 스케이트를 타 왔어요.
3 Q: 당신은 10년 동안 말을 타 왔나요?
A: 네, 그래요. 저는 유치원 때부터 말을 타 왔어요.
4 Q: 당신은 오랫동안 수영을 해 왔나요?
A: 네, 그래요. 저는 13년 동안 수영을 해 왔어요.
5 Q: 당신은 10년 동안 스키를 타 왔나요?
A: 아니요, 안 그래요. 저는 9년 동안 스키를 타 왔어요.

1 ❶	2 ❺	3 ❹	4 ❺
5 ❹	6 ❹	7 ❸	8 ❸
9 ❸	10 ❸	11 ❸	12 ❸
13 ❺	14 ❷	15 slept	16 have

17 has
18 have gone
19 has broken
20 hasn't washed
21 has gone
22 has lost
23 haven't seen
24 Has, been
25 Have, forgotten

해설

1 study의 과거형과 과거분사형은 studied이다. 「자음+y」로 끝나는 동사의 과거형과 과거분사형은 -y를 -i로 고친 후 -ed를 붙여 만든다.
❶ study 공부하다 – studied ❷ 놀다, 연주하다 ❸ 머무르다 ❹ 살다 ❺ 기르다

2 sell의 과거형과 과거분사형은 sold이다. ❶~❹ 동사들도 과거형과 과거분사형이 동일하다.
❶ 떠나다, ~을 두고 오다 ❷ 잃다, 지다 ❸ 느끼다 ❹ 잠자다 ❺ sell 팔다 – sold

3 빈칸 뒤에 과거분사 known이 있으므로, 빈칸에는 현재 완료 시제를 만드는 have/has를 쓴다. 주어(We)가 복수이므로 have가 알맞다.

4 지난겨울부터 현재까지 계속 눈이 오지 않으므로, 「haven't/hasn't+과거분사」의 현재 완료 시제가 알맞다. 주어(It)가 3인칭 단수이므로 hasn't를 쓴다.

5 의문문의 주어 the meat 뒤에 과거분사 gone이 있으므로, 빈칸에는 현재 완료 시제를 만드는 Have/Has를 써야 한다. 주어(the meat)가 3인칭 단수이므로 Has가 알맞다.

6 swim은 불규칙 동사로서 swam – swum으로 변화한다. 따라서 swimed가 아닌 swum이 되어야 한다.
❶ 밥이 그 창문을 깨뜨렸다.
❷ 그녀는 비밀번호를 잊어버렸다.
❸ 그는 10개월 동안 안경을 써 왔다.
❹ I have swum for two years. 나는 2년 동안 수영을 해 왔다.
❺ 우리는 금요일부터 재스민을 보지 못하고 있다.

7 현재 완료 시제의 부정문은 have/has 다음에 not을 써서 만든다.
❶ 나는 내 열쇠를 잃어버렸다.
❷ 그는 벤치에 자기 모자를 두고 왔다.
❸ He has not taught us since last month. 그는 지난달부터 우리를 가르치지 않는다.
❹ 그녀는 3일 동안 몸이 좋지 않다.
❺ 그들은 지난해부터 자전거를 타지 않는다.

8 현재 완료 시제의 의문문에 긍정으로 대답할 때는, 「Yes, 주어(대명사)+have/has.」로 한다. you로 묻고 있으므로 주어

9 빈칸 뒤에 과거분사 broken과 lost가 있으므로 현재 완료 시제를 만드는 have/has가 와야 한다. 주어 My dog와 he는 둘 다 3인칭 단수이므로 has가 알맞다.

10 빈칸 뒤에 과거분사 seen과 brushed가 있으므로 현재 완료 시제를 만드는 haven't/hasn't가 와야 한다. 주어 I와 The children이 각각 1인칭과 복수명사이므로 빈칸에는 haven't가 알맞다.

11 2학년 때부터 현재까지 연습해 오고 있다는 뜻이므로 계속을 나타내는 「have/has+과거분사」의 현재 완료 시제 문장이 되어야 한다. 따라서 have practiced로 쓴 ❸이 알맞다.

12 '학교에 가 버린' 결과 '현재 (여기에) 없다'라는 뜻으로 과거의 행동으로 인한 현재의 결과를 설명하고 있으므로, 「have/has +과거분사」의 현재 완료 시제 문장이 되어야 한다. 따라서 '가고 없다'라는 뜻으로 쓰이는 has gone이 있는 ❸이 알맞다.
❶ 그녀는 학교에 다닌다. ❷ 그녀는 학교에 갔다.
❹ 그녀는 학교에 다녀왔다. ❺ 그녀는 학교에 갈 것이다.

13 현재 완료 시제의 부정문은 「haven't/hasn't+과거분사」로 쓴다. be동사의 과거분사는 been이다.
· 일요일부터 춥다. → 일요일부터 춥지 않다.

14 현재 완료 시제의 의문문은 「Have/Has+주어+과거분사 ~?」로 쓴다. 주어 you가 2인칭이므로 빈칸에는 Have와 played가 알맞다.
· 너는 10년 동안 첼로를 켜 왔다. → 너는 10년 동안 첼로를 켜 왔니?

15 피곤해 보이는 이유가 일주일 동안 계속해서 잠을 잘 못 자고 있기 때문이다. 따라서 계속적 의미를 나타내는 현재 완료 시제를 쓸 수 있으므로 haven't 뒤에는 slept가 알맞다.
· A: 너는 피곤해 보인다.
  B: 나는 일주일 동안 잠을 잘 못 자고 있다.

16 다리가 부러진 결과 현재 축구를 하지 못하므로 현재 완료 시제로 표현하는 것이 알맞다. 주어(I)가 1인칭이므로 have가 알맞다.
· A: 축구하자.
  B: 미안하지만, 나는 할 수 없다. 내 다리가 부러졌거든.

17 현재 완료 시제의 의문문에 긍정으로 대답할 때는 「Yes, 주어(대명사)+have/has.」로 한다. 주어(she)가 3인칭 단수이므로 has가 알맞다.
· A: 루스는 자기 우산을 학교에 두고 왔니?
  B: 응, 그랬어.

18 과거에 뉴욕에 간 행동의 결과 현재 여기 없고 뉴욕에 있다는 뜻이므로 '가 버리고 없다'는 의미인 have gone으로 쓴다.
· 그들은 뉴욕에 가고 없다. 그들은 여전히 뉴욕에 있다.

19 팔이 부러진 결과 테니스를 칠 수 없다는 뜻이므로 현재 완료 시제를 사용하는 것이 알맞다. '부러져 버렸다'는 의미의 have broken으로 쓴다.
· 그는 팔이 부러져 버렸다. 그는 테니스를 칠 수 없다.

20 지난주부터 현재까지 계속되는 상태를 표현하는 현재 완료 시제를 사용해야 한다. 현재 완료 시제의 부정문은 「haven't/hasn't +과거분사」를 사용하므로 hasn't washed가 알맞다.

- 에이미는 지난주부터 자기 차를 세차하지 않고 있다. 그 차는 더럽다.

21 '가고 없다'라는 표현은 현재 완료 시제를 사용하여 have/has gone으로 나타낸다. 주어인 Mom이 3인칭 단수이므로 has gone이 알맞다.

22 살을 많이 뺀 결과 현재는 살이 많이 빠져 있는 상태라는 말이므로 현재 완료 시제로 나타낼 수 있다. 주어인 He가 3인칭 단수이므로 has lost가 알맞다.

23 어제부터 현재까지 그를 계속 못 보고 있다는 말이므로 현재 완료 시제의 부정문으로 나타낼 수 있다. 현재 완료 시제의 부정문은 have 또는 has 뒤에 not을 쓰거나 haven't 또는 hasn't를 써서 표현할 수 있는데, 주어가 I이고 빈칸이 두 개이므로 haven't seen이 알맞다.

24 과거 6년 전부터 현재까지 계속 소방관인지 묻고 있으므로 현재 완료 시제의 의문문으로 나타낼 수 있다. 주어인 she가 3인칭 단수이므로 주어 she 앞에는 Has가, she 뒤에는 be의 과거분사형인 been이 알맞다.

25 이름을 잊어버린 결과 기억을 못 하고 있는 건지 묻고 있으므로 현재 완료 시제의 의문문으로 나타낼 수 있다. 주어 you가 2인칭이므로 빈칸에는 Have와 forget의 과거분사형인 forgotten이 알맞다.

Wrap Up
115쪽

1 1 과거 2 현재 3 for 4 since
2 1 과거 2 현재
3 1 과거 2 과거 3 현재

Check Up
checked, forgotten, haven't, Have

만화 해석
서니: 나는 한 달 동안 내 이메일을 확인하지 않았어.
서니: 으윽! 비밀번호를 잊어버렸네.
잭: 난 네 비밀번호를 안 잊어버리고 있어.
서니: 너 내 비밀번호를 오랫동안 알고 있었던 거야?

⟨Unit⟩ 06 전치사

01 시간을 나타내는 전치사

만화 해석
118쪽

스노위는 낮 동안 잠을 잔다.
밤에는 짖어 댄다.

Grammar Walk!
119쪽

A 1 The baby cries [at night].

2 She has a piano lesson [on Monday].
3 Summer starts [in July].
4 I read a book [before bed].
5 They didn't speak [during the meal].
6 The park opens [from 6 a.m. to 10 p.m.].

B 1 at   2 on   3 in   4 in
5 after 6 for   7 during 8 to

해설 **A** 1 그 아기는 밤에 운다.
2 그녀는 월요일에 피아노 교습이 있다.
3 여름은 7월에 시작한다.
4 나는 잠자리에 들기 전에 책을 읽는다.
5 그들은 식사하는 동안 말을 하지 않았다.
6 그 공원은 오전 6시부터 밤 10시까지 연다.

B 1 우리 수업은 9시 정각에 시작한다.
2 우리는 1월 6일에 그 박물관을 방문했다.
3 나는 아침에 일찍 일어난다.
4 그 새들은 봄에 여기로 온다.
5 내가 방과 후에 네게 다시 전화할 것이다.
6 그는 두 시간 동안 바이올린을 연습했다.
7 곰들은 겨울 동안 잠을 잔다.
8 우리는 6월부터 8월까지 그 강에서 수영할 수 있다.

02 장소/위치를 나타내는 전치사

만화 해석
120쪽

잭: 블래키 선물이 나무 아래에 없어.
서니: 소파 뒤를 봐.
서니: 스노위가 블래키 쿠션 위에서 자고 있어.

Grammar Walk!
121쪽

A 1 People are waiting [at the bus stop].
2 Don't sit [on the grass].
3 A cat is [in the toy box].
4 The car is [in front of the truck].
5 Look [behind the sofa].
6 The library is [next to the park].

B 1 at   2 on   3 in
4 in front of 5 next to 6 between
7 among   8 over

해설 **A** 1 사람들이 버스 정류장에서 기다리고 있다.

2 잔디 위에 앉지 마라.

3 고양이 한 마리가 장난감 상자 안에 있다.

4 그 자동차는 트럭 앞에 있다.

5 그 소파 뒤를 봐.

6 그 도서관은 공원 옆에 있다.

B **1** 나는 집에 머무를 것이다.

2 그녀의 코 위에 나비 한 마리가 있다.

3 그들은 지난해에 일본에 살았다.

4 그는 에펠 탑 앞에 서 있다.

5 그 남자 옆에 앉으세요.

6 사과 하나가 두 개의 유리컵 사이에 있다.

7 그녀는 많은 장난감들 사이에서 곰 인형을 선택했다.

8 그 강 위에 다리 하나가 있다.

Grammar Run!
122~123쪽

A **1** ❶ **2** ❷ **3** ❷ **4** ❶

5 ❶ **6** ❶ **7** ❷ **8** ❷

9 ❶ **10** ❷ **11** ❶ **12** ❷

13 ❶ **14** ❷ **15** ❷

B **1** 일요일에 **2** 12시 30분에

3 저녁에 **4** 점심 식사 전에

5 파티 후에 **6** 수업 중에

7 세 시간 동안 **8** 3월 1일부터 4월 30일까지

9 탁자 위에 **10** 우리 집 앞에

11 자기 부모님 사이에 **12** 나무들 위에[위를]

13 집에서 **14** 커튼 뒤에

15 벽 위에

해설 **B** **1** 그 도서관은 일요일에 연다.

2 테드는 12시 30분에 점심 식사를 한다.

3 아빠는 저녁에 일찍 집에 오신다.

4 우리는 점심 식사 전에 손을 씻는다.

5 나는 파티 후에 집에 걸어왔다.

6 너는 수업 중에 네 전화를 사용해서는 안 된다.

7 그들은 세 시간 동안 텔레비전을 보았다.

8 그는 3월 1일부터 4월 30일까지 여행했다.

9 탁자 위에 앉지 마라.

10 그 자동차는 우리 집 앞에 멈추었다.

11 그 남자아이는 자기 부모님 사이에 앉았다.

12 그 풍선들이 나무들 위를 날고 있다.

13 그녀는 집에서 그 과자를 구웠다.

14 그 아이는 커튼 뒤에 숨었다.

15 그 그림을 벽 위에 걸자.

Grammar Jump!
124~125쪽

A **1** on **2** at **3** at **4** in

5 in **6** on **7** on **8** at

9 in **10** on **11** at **12** in

B **1** after the movie

2 after dinner

3 during the night

4 during the day

5 from 9 a.m.

6 for three hours

7 before bed

8 over the sea

9 next to the museum

10 next to Jack

11 behind us

12 under the roof

13 in front of the school

14 among lots of books

15 between two chairs

Grammar Fly!
126~127쪽

A **1** My grandmother takes a shower in the morning.

2 I visited the museum during the vacation.

3 We will go camping for ten days.

4 School will close from Thursday to Sunday.

5 I write in my diary before bed.

6 She is at home.

7 Miles is standing in front of the bakery.

8 Blackie was sleeping under the tree.

9 Pad sat between Billy and me.

10 They are skating on the ice.

11 The puppy is hiding behind the curtain.

12 There is a lake next to[beside/by] my house.

B **1** My dad exercises in the evening.

2 I do my homework after dinner.

3 The shop will close for three days.

4 It snowed on my birthday.

5 The flower blooms from spring to fall.

6 My puppy doesn't bark at night.

7 She chose a rose among lots of flowers.

8 I met Sue in front of the library.
9 Anne sits next to me.
10 The bird was flying over the tree.
11 A man is standing under the tree.
12 There are a lot of cars on the road.

Grammar & Writing
128~129쪽

A 1 on May 28　　2 at Olivia's house
　3 at 8 p.m.　　4 next to the library
　5 on Sunday　　6 at the Rose Garden

B 1 on　　2 in front of
　3 behind　　4 on
　5 between, and　　6 next to

해설 **A** 1 그 파자마 파티는 5월 28일에 있다.
　2 그들은 올리비아의 집에서 파티를 열 것이다.
　3 그 핼러윈 파티는 오늘 오후 8시에 시작할 것이다.
　4 그들은 도서관 옆에 있는 유령의 집에서 파티를 열 것이다.
　5 그들은 잭의 생일 파티를 일요일에 열 것이다.
　6 그들은 로즈 가든에서 파티를 열 것이다.

　B 1 도서관은 메인 스트리트에 있다.
　2 시청 앞에 분수대가 하나 있다.
　3 시청은 분수대 뒤에 있다.
　4 학교는 퍼스트 에버뉴에 있다.
　5 병원은 시청과 학교 사이에 있다.
　6 학교 옆에 공원이 하나 있다.

Unit Test · 06
130~134쪽

1 ❷　　2 ❸　　3 ❶　　4 ❷
5 ❹　　6 ❹　　7 ❷　　8 ❶
9 ❹　　10 ❺　　11 ❷　　12 ❷
13 ❷　　14 ❹　　15 after　16 under
17 during　18 next to　19 for　20 over
21 on August 15　　22 in 1888
23 on the road
24 between the two trees
25 in front of the school

해설

1 오전(morning), 오후(afternoon), 저녁(evening), 달, 계절, 연도 앞에는 in을 쓴다.
2 특정 시각, 정오(noon), 자정(midnight), 밤(night) 등의 앞에는 at을 쓴다.
3 '사물의 표면 위'라는 위치를 나타낼 때는 on을 쓴다.
4 날짜, 요일, 명절, 특별한 날 앞에는 on을 쓴다. my birthday (내 생일) 앞에도 on이 알맞다.
　❶ 잭은 열 시간 동안 TV를 보았다.
　❷ It snowed on my birthday. 내 생일에 눈이 왔다.
　❸ 몇몇 동물들은 겨울 동안 잠을 잔다.
　❹ 나는 수업 전에 화장실에 간다.
　❺ 그녀는 방과 후에 피아노 교습이 있다.
5 night 앞에는 at이 와야 하고 나머지에는 in이 와야 한다.
　❶ 핼러윈은 10월에 있다.
　❷ 우리 이모는 뉴질랜드에 사신다.
　❸ 여름에는 덥다.
　❹ 그 늑대가 밤에 울었다.
　❺ 우리 형은 아침에 샤워한다.
6 at이 시간을 나타내는 전치사로 쓰일 때는 시각, night, midnight, noon 등의 앞에 오고, 장소를 나타내는 전치사로 쓰일 때는 좁은 장소, home, school, work 등의 앞에 온다.
7 in이 시간을 나타내는 전치사로 쓰일 때는 달, 계절, 연도 등의 앞에 오고, 장소나 위치를 나타내는 전치사로 쓰일 때는 '~ 안에서'라는 의미로 쓰인다.
8 on이 시간을 나타내는 전치사로 쓰일 때는 요일, 날짜, 명절, 특별한 날 앞에 오고, 위치를 나타내는 전치사로 쓰일 때는 '~ 위에'라는 의미로 쓰인다.
9 '강 위에', '지붕 아래에'라는 뜻을 나타내야 한다. over는 '(접촉되지 않은 상태로) ~ 위에'라는 뜻이고, under는 '~ 아래에'라는 뜻이다.
　• 그 강 위에 다리가 하나 있다.
　• 그들은 지붕 아래에 서 있었다.
10 '일주일 동안', '저녁 식사 전에'라는 뜻을 나타내야 한다. '~ 동안'이라는 뜻으로 「숫자+시간의 단위」 앞에 전치사 for를 쓰고, '~ 전에'라는 뜻으로 before를 사용한다.
　• 그들은 일주일 동안 여행했다.
　• 우리 아빠는 저녁 식사 전에 집에 오신다.
11 behind는 '~ 뒤에'라는 뜻이다.
12 「from A to B」는 'A에서 B까지'라는 뜻이다.
13 '잠자리에 들기 전에'라는 뜻은 before bed로 쓴다.
　❶ 나는 침대 위에서 일기를 쓴다.
　❸ 나는 방과 후에 일기를 쓴다.
　❹ 나는 몇 시간 동안 일기를 쓴다.
　❺ 나는 밤에 일기를 쓴다.
14 between은 '(둘) 사이에'라는 뜻이고, among은 '(셋 이상) 사이에'라는 뜻이다. 따라서 among이 쓰인 문장을 고른다.
　❶ 그녀는 장난감들 뒤에서 그 인형을 발견했다.
　❷ 그녀는 장난감들 위에서 그 인형을 발견했다.
　❸ 그녀는 장난감들 옆에서 그 인형을 발견했다.

❺ 그녀는 장난감들 아래에서 그 인형을 발견했다.

15 '~ 후에'라는 뜻은 전치사 after로 나타낸다.

16 '~ 아래에서'라는 뜻은 전치사 under로 나타낸다.

17 기간을 나타내는 명사 앞에서 '~ 동안'이라는 뜻으로 쓰이는 전치사는 during이다.

18 '~의 옆에'라는 뜻은 by, beside, next to로 나타낸다. 빈 칸이 두 개이므로 next to를 쓴다.

19 for/during은 둘 다 '~ 동안'이라는 뜻이지만, 숫자 표현 앞에는 for를 쓴다.

20 on/over는 둘 다 '~ 위에'라는 뜻이지만, 접촉되지 않은 상태이므로 over를 쓴다.

21 8월 15일과 같은 날짜 앞에는 전치사 on을 쓴다.

22 연도 앞에는 전치사 in을 쓴다.

23 '도로 (위)에'라는 뜻은 전치사 on으로 나타낸다.

24 (둘) 사이에서'라는 뜻은 between으로 나타낸다.

25 '~ 앞에'라는 뜻은 in front of로 나타낸다.

Wrap Up
135쪽

1 1 on 2 before 3 during
2 1 in 2 behind 3 under 4 among

Check Up
before, at, behind, after

만화 해석

엄마: 저녁 식사 전에 집에 올 수 있나요?

엄마: 아빠가 현관에 있어. 너희들 준비됐니?

서니: 전 소파 뒤에 있어요.

서니, 잭: 서프라이즈! 생신 축하 드려요!

택배 아저씨: 파티가 끝난 후에 다시 오겠습니다.

Review Test · 03
136~139쪽

1 ❺	2 ❺	3 ❸	4 ❹
5 ❶	6 ❸	7 ❺	8 ❺
9 ❷	10 ❹	11 ❹	12 ❺
13 ❸	14 ❸	15 known	

16 has forgotten 17 haven't felt

18 I have raised the hamster for five months.

19 Has he broken his arm?

20 The park is next to the library.

해설

1 ❶~❹는 주어가 3인칭 단수이므로 has를 쓰고, ❺는 주어가 1인칭 I이므로 have를 쓴다.
   ❶ 4일 동안 날씨가 흐리다.

❷ 아빠는 그 자동차를 팔아 버리셨다.

❸ 그녀는 2년 동안 그 개를 키워 왔다.

❹ 내 자전거는 고장 나 버렸다.

❺ 나는 지난해부터 첼로를 켜 왔다.

2 ❶~❹는 전치사 in이 오고, ❺는 요일 앞이므로 전치사 on이 온다.

❶ 엄마는 저녁에 운동을 하신다.

❷ 나는 내 호주머니 안에 돈을 조금 가지고 있다.

❸ 우리는 런던에서 4일 동안 머물렀다.

❹ 그녀는 2011년에 그 책을 썼다.

❺ 그 박물관은 일요일에 문을 연다.

3 have gone to는 '~에 가고 여기 없다'라는 뜻으로, 현재 완료 시제의 '결과'의 의미를 나타낸다. '다녀왔다' 또는 '가 본 적이 있다'는 의미는 have been to로 쓴다.
   • 그들은 뉴욕에 가고 없다.

4 during은 '(어떤 기간) 동안'이라는 뜻이다.
   • 우리는 주말 동안 해변에 갔다.

5 '~의 표면 위에'라는 의미를 나타낼 때 on을 사용한다.
   • 도로에 자동차들이 많다.

6 noon은 낮 12시를 뜻하므로 전치사 at을 쓴다.
   • 정오에 만나자.

7 15년 전 과거부터 지금 현재까지 15년 동안 계속해서 치과 의사였으므로 현재 완료 시제로 표현해야 한다. 주어(your dad)가 3인칭 단수이므로 has를 사용한다.
   • A: 우리 아빠는 15년 전에 치과 의사가 되셨다. 그는 지금도 여전히 치과 의사이시다.
   B: 아, 너희 아빠는 15년 동안 치과 의사이시구나.

8 Yes, I have.로 보아 A의 질문은 「Have/Has+주어+과거 분사~?」의 현재 완료 시제의 의문문이 되어야 함을 알 수 있다.
   • A: 네 자전거를 잃어버렸니?
   B: 응, 그랬어. 나는 그것을 찾을 수가 없어.

9 '~ 아래에'라는 뜻으로 전치사 under를 쓴다.
   ❶ They live in Seoul. 그들은 서울에 산다.
   ❷ 우리 고양이는 소파 아래에서 잔다.
   ❸ Let's hang the picture on the wall. 그 그림을 벽에 걸자.
   ❹ She is waiting at the bus stop. 그녀는 버스 정류장에서 기다리고 있다.
   ❺ We go to school from Monday to Friday. 우리는 월요일부터 금요일까지 학교에 간다.

10 behind me는 '내 뒤에'라는 뜻이다.
   ❶ 우리 사이에 앉아라.
   ❷ 상자 한 개가 탁자 아래에 있다.
   ❸ 그 시계는 벽에 있다.
   ❹ 내 뒤에 서라.
   ❺ 나무 위 새들을 봐.

11 빈칸 뒤에 과거분사인 talked, lost가 있으므로 빈칸에는 현재 완료 시제를 만드는 have/has 또는 haven't/hasn't가 와야 한다. We는 복수이고, He는 3인칭 단수이므로 빈칸에는 haven't와 has가 알맞다.
   • 우리는 두 달 동안 서로 말을 하지 않아 왔다.

- 그는 살을 많이 뺐다.

12 for 다음에는 숫자로 기간을 나타내고, during 다음에는 「(the)+명사」로 기간을 나타낸다.
- 우리는 10일 동안 캠핑을 갔다.
- 나는 방학 동안 수영하는 것을 배울 것이다.

13 ❸ have 다음에는 be동사의 과거분사 been이 와야 한다.
- ❶ 그는 지난해부터 책을 쓰지 않는다.
- ❷ 그들은 과자들을 팔았다.
- ❸ I have been sick since last night. 나는 어젯밤부터 아프다.
- ❹ 그녀는 집에 교과서를 두고 왔다.
- ❺ 우리는 지난달부터 피아노를 연습하지 않는다.

14 ❸의 다리(bridge)는 강 (표면에서 떨어진 상태로) 위에 있으므로 on이 아닌 over가 알맞다.
- ❶ 우리는 저녁 식사 전에 개를 산책시킨다.
- ❷ 조이는 수업이 끝난 후에 자기 엄마에게 전화했다.
- ❸ Look at the bridge over the river. 강 위에 그 다리를 봐라.
- ❹ 나는 한 시간 동안 버스를 기다렸다.
- ❺ 그 남자아이는 자기 부모님 사이에 앉았다.

15 '작년부터 현재까지 계속 알고 있다'는 뜻은 현재 완료 시제를 써야 하므로 과거분사인 known이 알맞다.

16 현재 완료 시제를 사용하여 과거에 일어난 일(비밀번호를 잊은 것)이 현재에 어떤 결과(지금 비밀번호를 모름)를 미치는지 표현할 수 있다.
- 그는 비밀번호를 잊었다. 그는 여전히 그 비밀번호를 모르고 있다.
- → 그는 비밀번호를 잊어버렸다.

17 현재 완료 시제를 사용하여 과거부터 현재까지 계속해서 일어나는 일을 표현할 수 있다. '몸이 계속해서 좋지 않다'는 haven't/hasn't felt well로 표현할 수 있다.
- 나는 지난주에 몸이 좋지 않았다. 나는 여전히 아프다.
- → 나는 지난주부터 몸이 좋지 않다.

18 현재 완료 시제는 「have/has+과거분사」로 표현한다.

19 현재 완료 시제 의문문은 「Have/Has+주어+과거분사 ~?」의 순서로 쓴다.

20 장소나 사물 앞에 next to를 써서 '~ 옆에'라는 뜻을 나타낸다.

Unit 07 재귀대명사

01 재귀대명사의 의미와 종류

만화 해석   142쪽

잭: 배고픈 거니?
블래키: 아니. 난 나를 깨끗이 닦고 있을 뿐이야.
서니: 블래키는 자기 자신을 무척 사랑해!

Grammar Walk!   143쪽

A
1. I looked at [myself] in the mirror.
2. Did you knit the sweater [yourself]?
3. John told us about [himself].
4. Ms. Brown cooked dinner [herself].
5. My cat always cleans [itself].
6. We asked [ourselves] the question.
7. You and your sister must do your homework [yourselves].
8. Some baby animals take care of [themselves].

B
1. myself 나 자신
2. yourself 너 자신
3. herself 그녀 자신
4. himself 그 자신
5. itself 그것 자신
6. ourselves 우리 자신
7. yourselves 너희 자신
8. themselves 그들 자신

해설 **A**
1. 나는 거울에서 나 자신을 보았다.
2. 네가 그 스웨터를 직접 짰니?
3. 존은 우리에게 자기 자신에 대해 말했다.
4. 브라운 씨는 저녁 식사를 직접 요리했다.
5. 우리 고양이는 항상 자기를 깨끗이 닦는다.
6. 우리는 우리 자신에게 그 질문을 했다.
7. 너와 네 여동생은 스스로 숙제를 해야 한다.
8. 몇몇 새끼 동물들은 스스로를 돌본다.

02 재귀대명사의 역할

만화 해석   144쪽

엄마: 블래키와 스노위는 자기들끼리 집에 있어. 그 애들은 틀림없이 이 배고플 거야.
엄마: 너희가 피자를 모두 마음껏 먹었구나!

Grammar Walk!   145쪽

A
1. Lisa loves [herself].
2. We saw [ourselves] on TV.
3. You must take care of [yourself].
4. Toby was proud of [himself].
5. Christina took pictures of [herself].
6. I [myself] painted the door.
7. You and Kate cooked dinner [yourselves].
8. The exam [itself] isn't difficult.
9. My father and I made the garden [ourselves].

10 The kids trained the dog [themselves].

B 1 e.   2 a.   3 c.
    4 d.   5 b.

해설 **A** 1 리사는 자기 자신을 사랑한다.
    2 우리는 TV에서 우리 자신을 보았다.
    3 너는 너 자신을 돌봐야 한다.
    4 토비는 자기 자신이 자랑스러웠다.
    5 크리스티나는 자기 자신을 사진으로 찍었다.
    6 내가 그 문을 직접 페인트칠했다.
    7 너와 케이트가 저녁 식사를 직접 요리했다.
    8 그 시험 자체는 어렵지 않다.
    9 우리 아버지와 내가 그 정원을 직접 만들었다.
    10 그 아이들이 그 개를 직접 훈련시켰다.

Grammar Run!   146~147쪽

A 1 yourself   2 himself   3 ourselves
    4 itself   5 herself   6 themselves
    7 myself   8 itself   9 herself
    10 ourselves   11 himself   12 yourselves
    13 itself   14 myself   15 themselves

B 1 ❷   2 ❷   3 ❶   4 ❶
    5 ❷   6 ❷   7 ❶   8 ❶
    9 ❷   10 ❷   11 ❷   12 ❶
    13 ❶   14 ❶   15 ❷

Grammar Jump!   148~149쪽

A 1 himself   2 itself   3 themselves
    4 ourselves   5 myself   6 itself
    7 ourselves   8 herself   9 yourselves
    10 yourself   11 himself   12 herself
    13 ourselves   14 themselves   15 myself

B 1 itself   2 herself   3 ourselves
    4 yourselves   5 myself   6 ourselves
    7 yourself   8 himself   9 themselves
    10 by herself   11 to himself
    12 enjoyed myself

Grammar Fly!   150~151쪽

A 1 My sister bought herself ice cream.

2 Henry often draws himself.
3 Many people don't know themselves well.
4 Did Mary introduce herself to the teacher?
5 I can fix the fence myself.
6 You and your sister have to do your homework yourselves.
7 Sometimes my dad bakes bread himself.
8 Lots of animals build their nests themselves.
9 Mr. Willy ate by himself yesterday.
10 You taught yourself to ride a bike.
11 Did they enjoy themselves at the festival?
12 Please help yourself [yourselves] to the cake.

B 1 Your brother, himself
2 The ducks, themselves
3 I, myself
4 The woman, herself
5 We, ourselves
6 they, themselves
7 you and Ben, yourselves
8 The puppy, itself
9 Jane's brother, himself
10 My dad, himself
11 I, myself to
12 you, by yourself [yourselves]

해설 **B** 1 그녀는 이웃에게 자기 자신을 소개했다.
     → 네 남동생이 이웃에게 자기 자신을 소개했다.
    2 그 오리는 자신을 연못에서 씻는다.
     → 그 오리들은 자신들을 연못에서 씻는다.
    3 그는 자기 자신을 그리는 것을 좋아한다.
     → 나는 나 자신을 그리는 것을 좋아한다.
    4 그들은 자신들에 관한 노래를 썼다.
     → 그 여자는 자신에 관한 노래를 썼다.
    5 밥이 직접 그 목도리들을 짰다.
     → 우리가 직접 그 목도리들을 짰다.
    6 네가 직접 유에프오를 보았니?
     → 그들이 직접 유에프오를 보았니?
    7 네가 직접 그 눈사람을 만들었니?
     → 너와 벤이 직접 그 눈사람을 만들었니?
    8 그 강아지들은 거울 속의 자신들을 향해 짖었다.
     → 그 강아지는 거울 속의 자신을 향해 짖었다.
    9 나는 첼로를 켜는 것을 스스로 배웠다.

→ 제인의 오빠는 첼로를 켜는 것을 스스로 배웠다.

10 그들은 종이에 베였다.

→ 우리 아빠는 종이에 베이셨다.

11 그 곰들은 물고기를 마음껏 먹었다.

→ 나는 생선을 마음껏 먹었다.

12 그 어린 남자아이는 혼자서 머리를 빗니?

→ 너[너희]는 혼자서 머리를 빗니?

Grammar & Writing

A **1** Jenny and Peter introduced themselves

2 Dad taught himself

3 Mom herself made

4 My dog hurt itself

5 We helped ourselves

6 We enjoyed ourselves

B **1** make, myself

2 clean, themselves

3 takes care of, himself

4 cuts, herself

5 wash, ourselves

6 do, ourselves

해설 **A** **1** (제니와 피터/소개했다) 제니와 피터는 엄마에게 자신들을 소개했다.

2 (아빠/가르쳤다) 아빠는 체스 두는 것을 독학하셨다.

3 (엄마/만들었다) 엄마가 직접 그 과자들을 만드셨다.

4 (우리 개/다쳤다) 우리 개는 다쳤다.

5 (우리/도왔다) 우리는 과자들을 마음껏 먹었다.

6 (우리/즐겼다) 우리는 수영장에서 즐거운 시간을 보냈다.

B make one's bed 잠자리를 정돈하다, clean one's room 방을 청소하다, take care of one's pet 애완동물을 돌보다, cut the grass 잔디를 깎다, wash one's sneakers 운동화를 빨다, do one's homework 숙제를 하다

1 나는 직접 내 잠자리를 정리한다.

2 마이크와 수전은 자신들 방을 직접 청소한다.

3 마이크는 자기 애완동물을 직접 돌본다.

4 수전은 잔디를 직접 깎는다.

5 마이크와 나는 운동화를 직접 빤다.

6 우리는 모두 직접 숙제를 한다.

UNIT TEST ~ 07   154~158쪽

1 ④	**2** ②	**3** ①	**4** ⑤
5 ⑤	**6** ④	**7** ④	**8** ③
9 ②	**10** ③	**11** ③	**12** ④
13 ②	**14** ③	**15** ⑤	

16 myself   **17** herself

18 himself   **19** himself

20 themselves   **21** herself

22 hurt itself   **23** talks to herself

24 took, myself   **25** fix, himself

해설

1 ❶ himself – 그 자신 ❷ herself – 그녀 자신 ❸ themselves – 그들 자신 ❺ itself – 그것 자신

2 1, 2인칭 대명사는 소유격에, 3인칭 대명사는 목적격에 -self, -selves를 붙여 재귀대명사를 만든다. 단수에는 -self 를, 복수에는 -selves를 붙인다.
❶ I – myself 나–나 자신 ❸ he – himself 그–그 자신 ❹ we – ourselves 우리–우리 자신 ❺ they – themselves 그들–그들 자신

3 재귀대명사는 주어와 가리키는 대상이 같을 때 사용하며, 동사의 목적어로 쓰일 수 있다. 따라서 빈칸에는 주어 you에 해당하는 재귀대명사인 yourself가 알맞다.
• 너는 너 자신을 잘 알고 있니?

4 재귀대명사는 주어와 가리키는 대상이 같을 때 사용하며, 주어 뒤나 문장의 끝에서 주어를 강조할 수 있다. 따라서 빈칸에는 주어 Mom and I를 대신하는 대명사 we의 재귀대명사 ourselves가 알맞다.
• 엄마와 내가 직접 그 정원을 만들었다.

5 help oneself는 '마음껏 먹다'라는 뜻이다.

6 ❶의 myself는 '내가 직접', ❷의 themselves는 '그들 자신'을, ❸의 yourself는 '너 스스로'이다. ❹의 himself는 주어인 He를 강조하여 '그가 직접'이라는 의미이고, ❺의 yourself 역시 주어를 강조하여 '네가 직접'이라는 의미이다.
❶ 내가 직접 그 소식을 들었다.
❷ 그들은 자신을 사랑한다.
❸ 너는 네 숙제를 스스로 했니?
❹ 그가 직접 그 집을 장식했다.
❺ 네가 직접 저녁 식사를 요리했다.

7 '직접, 스스로'라는 의미로 사용하는 재귀대명사는 주어를 강조하는 역할을 하므로 주어인 Jane and Betty를 대신하는 they의 재귀대명사인 themselves가 알맞다.
• 제인과 베티는 직접 자기들 방을 청소했다.

8 '혼자서'라는 뜻으로 by oneself를 쓴다. 주어 Mr. Bruce 가 3인칭 단수이고 남성이므로 by himself가 알맞다.
• 브루스 씨는 일주일 동안 혼자서 여행했다.

9 동사 licked의 목적어가 주어인 The lion과 동일한 대상이므로, The lion을 대신하는 it의 재귀대명사인 itself가 알맞다.

28 정답 및 해설

- 그 사자는 자신을 핥았다.

10 재귀대명사는 주어와 가리키는 대상이 같을 때 사용한다. ❸에서 주어 I에 알맞은 재귀대명사는 myself이다.
- ❶ 나는 나 자신이 자랑스럽다.
- ❷ 그녀는 TV에서 자신을 보았다.
- ❸ I knitted the mittens myself. 내가 직접 그 벙어리장갑을 짰다.
- ❹ 톰은 자신을 위해 멋진 모자를 샀다.
- ❺ 그 개들은 거울 속의 자신들을 보고 짖었다.

11 재귀대명사는 주어와 가리키는 대상이 같을 때 사용한다. ❸의 주어 Mom을 대신하는 she의 재귀대명사는 herself이다.
- ❶ 나는 즐거운 시간을 보냈다.
- ❷ 그 컴퓨터는 저절로 꺼졌다.
- ❸ Mom hurt herself. 엄마가 다치셨다.
- ❹ 너는 스케이트를 스스로 배웠니?
- ❺ 그 남자아이는 그 수프를 직접 요리했다.

12 enjoy oneself는 '즐기다, 좋은 시간을 보내다'라는 뜻이다.

13 cut oneself는 '베이다'라는 뜻이며 무엇에 베였는지 설명할 때는 「with+도구」로 표현한다.

14 introduce(소개하다)라는 동사는 반드시 목적어가 필요하다. ❶은 '학생들을 소개했다'는 뜻이고 ❷는 목적어가 없으므로 잘못된 문장이다. ❸의 introduce oneself는 '자기 자신을 소개하다'라는 뜻이고, ❹의 목적어 him은 주어 he와 다른 사람일 때 쓴다. ❺는 누구를 소개했는지 나타나 있지 않다. ❶ 그는 학생들을 소개했다.
- ❹ 그는 그를 그 학생들에게 소개했다.

15 '~을 마음껏 먹다'라는 뜻은 「help oneself to ~」로 나타낸다.

16 '스스로 배우다, 독학하다'라는 의미로 teach oneself로 나타내므로 주어 I에 해당하는 재귀대명사인 myself가 알맞다.

17 '스스로, 직접'이라는 의미는 재귀대명사를 사용하여 주어를 강조할 수 있다. 따라서 Lisa를 대신하는 she의 재귀대명사인 herself가 알맞다.

18 주어와 가리키는 대상이 같을 때 재귀대명사를 쓴다. 주어인 Gogh와 drew의 목적어가 같은 사람이므로, Gogh를 대신하는 he의 재귀대명사 himself가 알맞다.

19 전치사 about의 목적어 Mr. Smith가 주어와 동일한 사람이므로 Mr. Smith를 대신하는 he의 재귀대명사인 himself를 쓴다.
- 스미스 씨는 자기 자신에 대해 말하지 않는다.

20 전치사 of의 목적어 the babies가 주어와 동일한 대상을 가리키므로 Babies를 대신하는 they의 재귀대명사인 themselves로 고쳐 쓴다.
- 아기들은 자신들을 돌보지 못한다.

21 전치사 for의 목적어 Jane이 주어와 동일한 사람이므로 Jane을 대신하는 she의 재귀대명사인 herself로 고쳐 쓴다.
- 제인은 자신을 위해 코코아를 만들었다.

22 '다치다'는 hurt oneself로 쓰고 주어 The horse를 대신하는 it의 재귀대명사는 itself이므로, 빈칸에는 hurt itself가 알맞다. 동사 hurt의 과거형은 원형과 같은 형태이다.

23 '혼잣말하다'는 talk to oneself로 쓰고 주어 The old lady를 대신하는 she의 재귀대명사는 herself이므로, 빈칸에는 talks to herself가 알맞다. 주어가 3인칭 단수이고 현재 시제이므로 talk의 3인칭 단수 현재형인 talks를 써야 한다.

24 '직접, 스스로'라는 뜻으로 주어를 강조할 때 재귀대명사를 쓸 수 있다. 주어 I의 재귀대명사는 myself이므로, 빈칸에는 take의 과거형인 took과 myself가 알맞다.

25 '직접, 스스로'라는 뜻으로 주어를 강조할 때 재귀대명사를 쓸 수 있다. 의문문의 주어 he의 재귀대명사는 himself이므로, fix와 himself가 알맞다.

Wrap Up
159쪽

1 1 myself   2 너희 자신   3 himself   4 그것 자신
2 1 목적어   2 없다   3 강조   4 있다

Check Up
yourself, ourselves, myself

만화 해석
친구: 너는 혼자 집에 있니?
서니: 응, 그래.
서니: 만화를 그리자. 우리는 (만화 그리는 것을) 스스로 배울 수 있어.
친구: 너는 무엇을 그리고 있니?
서니: 나 자신을 그리고 있어.

Unit 08 부정대명사

01 one, another, the other

만화 해석
162쪽
서니: 엄마, 저 목도리가 하나 필요해요. 제게 하나 짜 주시겠어요?
엄마: 물론이지!
엄마: 하나는 내 것이고, 다른 하나는 네 것이고, 나머지 하나는 블래키 것이란다.

Grammar Walk!
163쪽

A 1 She needs a car. She will buy [one] soon.
2 There are a few dresses. The red [one] is mine.
3 Tom likes apples, and he is eating [one] now.
4 This bakery is famous for pumpkin pies. Let's buy [one].
5 Bob didn't win many prizes, but he will win [one] today.

6 I ate a cookie, and Mom gave me
   [another].
7 They already have a pet, but they want
   [another].
8 He already wrote five books, and he is
   writing [another] now.
9 She returned the book, and she borrowed
   [another].
10 The ice cream was great. Can I have
   [another]?
11 There are two birds on the roof. [One] is
   brown, and [the other] is blue.
12 Mom made two sandwiches. I ate [one],
   and my brother ate [the other].
13 I have two best friends. [One] is Mike,
   and [the other] is Susan.
14 We had three cats. [One] was white,
   [another] was black, and [the other] was
   yellow.
15 Three friends came to my party. [One] is
   Peter, [another] is Kyle, and [the other]
   is Tim.

해설 **A** 1 그녀는 자동차가 필요하다. 그녀는 곧 하나 살 것이다.
   2 드레스가 몇 벌 있다. 그 빨간색이 내 것이다.
   3 톰은 사과를 좋아해서, 지금 하나를 먹고 있다.
   4 이 제과점은 호박파이로 유명하다. 하나 사자.
   5 밥은 많은 상을 타지 않았지만, 오늘 하나 탈 것이다.
   6 내가 과자 하나를 먹자, 엄마가 내게 하나 더 주셨다.
   7 그들은 이미 애완동물이 있지만, 한 마리 더 원한다.
   8 그는 이미 책 다섯 권을 썼고, 지금 또 한 권 쓰고 있다.
   9 그녀는 그 책을 반납하고, 또 한 권을 빌렸다.
   10 그 아이스크림이 굉장히 맛있었다. 내가 하나 더 먹
      어도 될까?
   11 지붕 위에 새가 두 마리 있다. 한 마리는 갈색이고,
      나머지 한 마리는 파란색이다.
   12 엄마는 샌드위치 두 개를 만드셨다. 내가 하나를 먹
      었고, 내 남동생이 나머지 하나를 먹었다.
   13 나는 아주 친한 친구가 두 명 있다. 한 명은 마이크
      이고, 나머지 한 명은 수전이다.
   14 우리는 고양이가 세 마리 있었다. 한 마리는 흰색이
      었고, 다른 한 마리는 검은색이었고, 나머지 한 마
      리는 노란색이었다.
   15 친구 세 명이 내 파티에 왔다. 한 명은 피터이고, 다
      른 한 명은 카일이고, 나머지 한 명은 팀이다.

02 some-, any-

만화 해석 164쪽

서니: 나는 엄마를 위해 무엇인가 샀어.
잭: 아! 엄마 생신!
잭: 누구 과자 원하는 사람 있니?

Grammar Walk! 165쪽

A 1 There is [someone] behind the curtains.
   2 Will [someone] help me, please?
   3 [Somebody] broke the vase.
   4 I want [something] cold.
   5 Would you like [something] to eat?
   6 There is [something] strange in the soup.
   7 Do you have [something] to say?
   8 Does [anybody] want cookies?
   9 There isn't [anybody] on the street.
   10 Can [anyone] play the cello?
   11 Will [anyone] join the club?
   12 Please don't touch [anything].
   13 He didn't say [anything] interesting.
   14 Did you eat [anything] today?
   15 Is there [anything] to read?

해설 **A** 1 커튼 뒤에 누군가 있다.
   2 누군가 나를 도와주시겠어요?
   3 누군가 그 꽃병을 깨뜨렸다.
   4 나는 차가운 것을 원한다.
   5 먹을 것을 드릴까요?
   6 수프 안에 이상한 것이 있다.
   7 너는 할 말이 있니?
   8 누구 과자를 원하니?
   9 거리에 아무도 없다.
   10 누구 첼로 켤 수 있니?
   11 누구 그 동아리에 가입할 거니?
   12 아무것도 만지지 마세요.
   13 그는 흥미로운 것은 아무것도 말하지 않았다.
   14 너는 오늘 무엇인가 먹었니?
   15 읽을 것이 있니?

Grammar Run! 166~167쪽

A 1 ❷   2 ❷   3 ❷   4 ❶
   5 ❶   6 ❶   7 ❷   8 ❷

B 1 ①   2 ②   3 ①   4 ①
5 ②   6 ②   7 ①   8 ②
9 ①   10 ②   11 ②   12 ①
13 ②   14 ①   15 ②

해설 **A** 1 나는 펜이 하나 필요하다. 내가 하나 빌려도 될까?
     2 그는 영화를 좋아한다. 그는 지금 한 편 보고 있다.
     3 이것들은 엄마의 목도리이다. 이 빨간 것이 엄마가 특히 좋아하는 것이다.
     4 그는 도넛 두 개를 먹고, 하나 더 주문했다.
     5 그녀는 사진기를 하나 샀지만, 하나 더 원한다.
     6 나는 이 모자가 마음에 들지 않는다. 내게 다른 하나를 보여 주겠니?
     7 자전거 두 대가 있다. 한 대는 내 것이고, 나머지 한 대는 마이크의 것이다.
     8 엄마는 스웨터 두 벌을 뜨셨다. 한 벌은 나를 위한 것이고, 다른 한 벌은 아빠를 위한 것이다.
     9 나는 이모가 두 분 계신다. 한 분은 부산에 사시고, 다른 한 분은 서울에 사신다.
     10 팀은 고양이 세 마리가 있다. 한 마리는 귀엽고, 다른 한 마리는 게으르고, 나머지 한 마리는 시끄럽다.
     11 그는 취미가 세 가지이다. 하나는 스키 타기이고, 다른 하나는 춤추기이고, 나머지 하나는 요리하기이다.
     12 나는 팬케이크를 세 개 만들었다. 짐이 하나를 먹었고, 벤이 다른 하나를 먹었고, 내가 나머지 하나를 먹었다.

Grammar Jump!
168~169쪽

A 1 one   2 one
3 another   4 another
5 other   6 other
7 another   8 other
9 someone   10 something
11 anything   12 anybody

B 1 one   2 one
3 another   4 another
5 One, the other   6 one, the other
7 One, another, the other
8 One, another, the other
9 Someone   10 something
11 anything   12 anyone

Grammar Fly!
170~171쪽

A 1 one   2 one
3 another   4 another
5 the other   6 the other
7 another   8 One
9 Somebody[Someone]
10 something
11 anyone[anybody]
12 anything

B 1 a new one
2 an easier one
3 have another
4 order another
5 the other is old
6 One was interesting
7 another is yellow
8 the other is brave
9 someone to meet
10 something cold
11 anyone rich
12 anything interesting

해설 **A** 1 A: 너는 고양이를 좋아하니?
       B: 응. 나는 곧 한 마리를 구할 것이다.
     2 A: 나는 게임 CD를 몇 개 샀다.
       B: 내가 한 개 빌려도 될까?
     3 A: 나 그 팬케이크를 다 먹었다.
       B: 너는 하나 더 원하니?
     4 A: 이 피자는 정말 맛있었다.
       B: 하나 더 주문하자.
     5 A: 너는 이 두 권의 책이 좋았니?
       B: 한 권은 재미있었지만, 나머지 한 권은 그렇지 않았다.
     6 A: 그 쌍둥이들은 매우 다르다.
       B: 응. 한 사람은 키가 크고, 나머지 한 사람은 키가 작다.
     7 A: 너는 샌드위치를 세 개 만들었다.
       B: 한 개는 네 것이고, 다른 한 개는 내 것이고, 나머지 한 개는 아빠의 것이다.
     8 A: 저 세 남자아이는 누구니?
       B: 한 명은 테드이고, 다른 한 명은 밥이고, 나머지 한 명은 피터이다.
     9 A: 너는 그 소리를 들었니?
       B: 응. 누군가 밖에서 소리쳤다.

10 *A*: 내가 너를 위해 무엇인가를 만들었다.

   B: 아, 이것이 무엇이니?

11 *A*: 너는 그곳에서 누군가를 만났니?

   B: 아니, 나는 아무도 만나지 않았다.

12 *A*: 너는 배고프니?

   B: 응, 나는 오늘 아무것도 먹지 않았다.

Grammar & Writing

172~173쪽

A 1 something warm

2 something new

3 something exciting

4 anything hot

5 anything hard

B 1 One is dirty

2 the other is small

3 the other is cheap

4 One is for men

5 another is a robot

6 the other is white

해설 **A** 1 (따뜻한) 무척 춥다. 나는 따뜻한 것을 원한다.

2 (새것의, 새로운) 내 옷은 지루하다. 나는 새로운 것을 원한다.

3 (흥미진진한) 나는 지루하다. 나는 흥미진진한 것을 하기 원한다.

4 (뜨거운) 무척 덥다. 나는 뜨거운 것을 아무것도 원하지 않는다.

5 (딱딱한) 나는 치통이 있다. 나는 딱딱한 것을 아무것도 원하지 않는다.

B 1 꽃병이 두 개 있다. 한 개는 지저분하고, 나머지 한 개는 깨끗하다.

2 배낭이 두 개 있다. 한 개는 크고, 나머지 한 개는 작다.

3 사진기가 두 개 있다. 한 개는 비싸고, 나머지 한 개는 싸다.

4 모자가 세 개 있다. 한 개는 남성용이고, 다른 한 개는 여성용이고, 나머지 한 개는 어린이용이다.

5 장난감이 세 개 있다. 한 개는 곰 인형이고, 다른 한 개는 로봇이고, 나머지 한 개는 자동차이다.

6 이탈리아 국기에는 세 가지 색이 있다. 한 가지는 빨간색이고, 다른 한 가지는 초록색이고, 나머지 한 가지는 흰색이다.

UNIT TEST ·· 08

174~178쪽

1 ❶		2 ❷		3 ❷		4 ❹
5 ❸		6 ❷		7 ❸		8 ❹
9 ❺		10 ❹		11 ❸		12 ❸
13 ❺		14 ❺		15 ❸		

16 another

17 anything

18 something

19 anything

20 the other

21 One, the other

22 another

23 something new

24 anyone[anybody]

25 anything

해설

1 앞에서 말한 명사(car)와 동일한 종류의 '사물 하나'를 가리킬 때 one을 쓴다.

2 앞에서 말한 명사인 doughnut(도넛)과 같은 종류로 '하나 더'를 의미하므로 another가 알맞다.

3 부정문에서 '아무것도'라는 뜻으로 사물을 가리킬 때 anything을 쓴다.

4 부정문에서 '아무도'라는 뜻으로 사람을 가리킬 때는 someone이 아닌 anyone 또는 anybody를 쓴다.

   ❶ 누군가 네게 전갈을 남겼다.

   ❷ 누구 그 동아리에 가입할 거니?

   ❸ 집에 누군가 있니?

   ❹ There isn't anyone[anybody] in the room. 그 방에 아무도 없다.

   ❺ 그는 나무 뒤에서 누군가를 보았다.

5 부정문에서 '아무것도'라는 뜻으로 사물을 가리킬 때 something이 아니라 anything을 쓴다.

   ❶ 먹을 것을 드릴까요?

   ❷ 나는 오늘 아무것도 먹지 않았다.

   ❸ He didn't know anything about Korea. 그는 한국에 대해 아무것도 몰랐다.

   ❹ 나는 흥미진진한 것을 원한다.

   ❺ 그녀는 아무것도 묻지 않았다.

6 앞에서 말한 명사(pumpkin pies)와 동일한 종류의 '사물 하나'를 가리킬 때 one을 쓴다.

   • 이 제과점은 호박파이로 유명하다. 호박파이 하나 사자.

7 앞에 나온 명사인 cap(모자)과 같은 종류로 '다른 하나 더'를 가리킬 때 another를 쓴다.

   • 나는 이 모자가 마음에 안 들어요. 내게 다른 모자를 하나 더 보여 주시겠어요?

8 그 쌍둥이는 두 명이므로 한 명은 one, 나머지 한 명은 the other를 쓴다.

   • 그 쌍둥이는 다르게 생겼다. 한 명은 키가 크고, 나머지 한 명은 키가 작다.

9 긍정의 평서문에서 '누군가'라는 뜻으로 사람을 가리킬 때 someone/somebody를 쓴다.

10 부정문에서 '아무도'라는 뜻으로 사람을 가리킬 때 anyone/

anybody를 쓴다.

11 부정문에서 anything은 '아무것도'라는 뜻으로 사물을 가리킨다.
   ❶ 몰리는 누군가에게 이야기하고 있다.
   ❷ 나는 먹을 것이 있다.
   ❸ 그 상자 안에는 아무것도 없다.
   ❹ 내게 차가운 것을 가져다줄 수 있니?
   ❺ 누군가 어둠 속에서 울었다.

12 책 두 권에 대해 말하고 있으므로, 두 권 중 한 권은 one, 나머지 한 권은 the other를 쓴다.
   • 벤은 책을 두 권 샀다. 그가 한 권은 갖고 나머지 한 권은 내게 주었다.

13 취미 세 가지에 대해 말하고 있으므로, 세 가지 중 하나는 one, 다른 하나는 another, 나머지 하나는 the other를 쓴다.
   • 그는 취미가 세 가지 있다. 하나는 수영하기이고, 다른 하나는 춤추기이고, 나머지 하나는 요리하기이다.

14 부정문에서 anyone은 '아무(에게)도'라는 뜻이다.
   • 그녀는 그 비밀을 아무에게도 말하지 않았다.

15 one은 앞에서 말한 명사(pen)와 동일한 종류의 '사물 하나'를 가리킬 때 쓴다. 따라서 이 문장에서 one은 '(펜) 하나'의 뜻이다.
   • 나는 펜이 필요하다. 내가 하나 빌려도 되니?

16 another는 '또 다른 하나', the other는 '나머지 하나'라는 뜻이다. 따라서 another가 알맞다.

17 부정문에서 '아무것도'라는 뜻으로 사물을 가리킬 때 anything을 쓴다.

18 '권유'를 나타내는 의문문에서 '어떤 것'이라는 뜻으로 사물을 가리킬 때 anything이 아니라 something을 쓴다.
   • 마실 것을 드시겠어요?

19 부정문에서 '아무것도'라는 뜻으로 사물을 가리킬 때 something이 아니라 anything을 쓴다.
   • 그녀는 이번 주말에 재미있는 것을 아무것도 하지 않았다.

20 두 편의 영화 중에 한 편은 one, 나머지 한 편은 the other를 쓴다. another는 '다른 또 하나'라는 의미이므로 알맞지 않다.
   • 나는 오늘 영화 두 편을 보았다. 한 편은 재미있었지만, 나머지 한 편은 지루했다.

21 두 분 삼촌 중 한 분은 one, 나머지 한 분은 the other를 쓴다.

22 앞에서 말한 명사(cows)와 동일한 종류의 '다른 하나 더'를 가리킬 때 another를 쓴다.

23 긍정의 평서문에서 '무엇인가'라는 뜻으로 사물을 가리킬 때 something을 쓴다. something을 꾸며 주는 말이 있을 때는 꾸며 주는 말을 something 뒤에 쓴다.

24 의문문에서 '누군가'라는 뜻으로 사람을 가리킬 때 anyone 또는 anybody를 쓴다.

25 부정문에서 '아무것도'라는 뜻으로 사물을 가리킬 때 anything을 쓴다.

Wrap Up
179쪽

1   1 one   2 another   3 the
    4 other

2   1 something   2 anything   3 부정문
    4 권유   5 의문문

Check Up
something, anyone, another, the other

만화 해석

잭: 나는 신 나는 것을 하기 원해.
잭: 누군가 이 게임들을 빌려 갔나요?
사서: 아니란다. 이것들은 너를 위한 거니?
잭: 하나는 저를 위한 거고, 다른 하나는 서니를 위한 거고, 나머지 하나는 우리 개를 위한 거예요.

Review Test ·· 04
180~183쪽

1 ❸	2 ❶	3 ❹	4 ❸
5 ❹	6 ❺	7 ❸	8 ❸
9 ❶	10 ❹	11 ❸	12 ❷
13 ❷	14 ❺	15 ❸	

16 the other   17 anyone[anybody]
18 I need something to read.
19 The boy introduced himself to me.
20 Liam raised the box by himself.

해설

1 ❸의 help oneself (to ~)는 '(어떤 음식을) 마음껏 먹다'라는 의미이다.

2 재귀대명사는 주어와 가리키는 대상이 같을 때 사용하며, 동사와 전치사의 목적어로 쓰일 수 있다. 따라서 빈칸에는 주어 A bird의 재귀대명사인 itself가 알맞다.
   • 새 한 마리가 거울 속의 자신을 보고 있었다.

3 빈칸 뒤 to do의 꾸밈을 받을 수 있는 대명사는 '어떤 것'을 뜻하는 anything과 something이다. 부정문이므로 anything이 알맞다.
   • 나는 지루하다. 나는 할 것이 아무것도 없다.

4 쌍둥이 두 사람 중 한 명과 나머지 한 명을 말할 때는 one, the other를 쓴다.
   • 톰프슨 씨는 쌍둥이가 있다. 한 명은 축구를 하고, 나머지 한 명은 야구를 한다.

5 부정문에서 '아무것도'라는 뜻으로 사물을 가리킬 때는 anything을 쓰고, 긍정문에서 '무엇인가'라는 뜻으로 사물을 가리킬 때는 something을 쓴다. ❶~❸, ❺는 부정문이므로 anything이 알맞고, ❹는 긍정문이므로 something이 알맞다.
   ❶ 우리는 읽을 것이 아무것도 없다.
   ❷ 나는 따뜻한 것은 아무것도 원하지 않는다.
   ❸ 그들은 재미있는 것은 아무것도 하지 않았다.
   ❹ 그녀는 무엇인가 달콤한 것을 만들 것이다.
   ❺ 상자 안에 아무것도 없다.

6 재귀대명사는 주어와 가리키는 대상이 같을 때 사용하며, 주어 뒤나 문장의 뒤에서 주어를 강조할 수 있다. 따라서 밑줄 친 우리말은 주어가 My sister and I이므로 ourselves가 알맞다.
  • 내 여동생과 내가 직접 그 방을 장식했다.

7 '누군가'를 의미하는 대명사는 anyone, someone인데, 의문문이므로 anyone이 알맞다.
  • 누군가 그의 이름을 알고 있었니?

8 앞에서 말한 명사(glass)와 동일한 종류의 '다른 하나 더'를 가리킬 때 another를 쓴다.
  • 이 유리컵은 지저분하다. 내게 다른 유리컵을 하나 주겠니?

9 not ~ anyone은 '아무도 ~하지 않다'라는 의미이다.

10 문장의 주어와 같은 대상을 가리키는 재귀대명사가 문장의 뒤에서 주어를 강조할 때는 '직접, 스스로'라는 뜻이다.

11 부정문에서 '아무것도'라는 뜻으로 사물을 가리킬 때는 anything을 쓴다.
  ❶ 누군가 내 우산을 가져갔다. ❷ 누군가 그 영화를 봤니?
  ❸ I don't like anything sweet. 나는 달콤한 것은 아무것도 좋아하지 않는다.
  ❹ 그는 아무것도 고칠 수 없다. ❺ 마실 것을 드시겠어요?

12 둘 중에서 하나는 one, 나머지 하나는 the other를 쓴다.

13 문장의 주어와 같은 대상을 가리키면서 주어 바로 뒤에서 주어를 강조할 때는 재귀대명사를 쓴다. I의 재귀대명사는 myself이고, '마음껏 먹다'라는 뜻의 재귀대명사 표현은 help oneself이다.

14 앞에서 말한 명사(backpack)와 동일한 종류의 '사물 하나'를 가리킬 때 one을 쓴다.
  • 제 배낭이 너무 오래되었어요. 제게 새 배낭 하나를 사 주시겠어요?

15 '베이다'라는 의미는 cut oneself로 표현한다. 주어가 Mike이므로 재귀대명사 himself가 알맞다.

16 둘 중에서 나머지 하나는 the other를 쓴다.

17 의문문에서 '누군가'라는 뜻으로 사람을 가리킬 때 anyone 또는 anybody를 쓴다.

18 something을 꾸며 주는 to read는 something 뒤에 쓴다.

19 '자기소개를 하다'는 introduce oneself이다.

20 by oneself는 '혼자, 스스로'라는 뜻이다.

Final Test ·· 01
184~187쪽

1 ❺	2 ❹	3 ❷	4 ❺
5 ❸	6 ❹	7 ❷	8 ❷
9 ❹	10 ❹	11 ❺	12 ❶
13 ❸	14 ❶	15 ❷	

16 ⓐ someone[somebody]
   ⓑ anyone[anybody]

17 enjoyed ourselves

18 between his parents

19 Nancy has not forgotten

20 How many books do you

해설

1 형용사나 부사와 함께 쓰여 '얼마나 ~한[하게]'라는 뜻을 나타내는 의문사는 how이다. how long은 '얼마나 긴'이란 뜻으로 길이를 묻는 표현이다.
  • 그 강은 얼마나 기니?
  ❶ 무엇 ❷ 어디 ❸ 왜 ❹ 누구 ❺ 얼마나, 어떻게

2 '~ 동안'이라는 의미가 알맞으므로 for 또는 during이 와야 한다. 단, 빈칸 뒤에 '세 시간'이라는 시간의 길이가 숫자 표현으로 오므로 for가 알맞다.
  • 우리 엄마는 매일 세 시간 동안 스웨터를 짜신다.

3 앞에서 말한 명사(baseball caps)와 동일한 종류의 '사물 하나'를 가리킬 때 one을 쓴다.
  • 테드는 야구 모자를 무척 좋아한다. 그는 지금 하나 쓰고 있다.

4 how much 다음에는 셀 수 없는 명사만 올 수 있다. ❺의 eggs는 how many 뒤에 쓰이는 것이 알맞다.
  • 너는 _____가 얼마나 많이 필요하니?
  ❶ 돈 ❷ 시간 ❸ 설탕 ❹ 소금 ❺ 달걀들

5 앞에 Have가 있으므로 현재 완료 시제를 표현할 수 있도록 빈칸에는 과거분사가 와야 한다. ❸의 drew는 draw의 과거형이므로 현재 완료 시제에 쓰일 수 없다. 과거분사형은 drawn이다.
  ❶ 너는 그것을 벌써 들었니? ❷ 너는 그것을 벌써 끝냈니?
  ❹ 너는 그것을 벌써 했니? ❺ 너는 그것을 벌써 찾았니?

6 주어 you 뒤에 쓰인 been은 과거분사이므로 현재 완료 시제 의문문(Have/Has+주어+과거분사 ~?)임을 알 수 있다. 그러므로 빈칸에는 주어 you와 짝이 되는 Have가 알맞다.
  • A: 너는 캐나다에 가 본 적이 있니?
    B: 응, 있어.

7 대화의 내용으로 보아 '독학하다'라는 의미이므로 teach oneself가 알맞다. 주어 I에 알맞은 재귀대명사는 myself이다.
  • A: 누가 네게 중국어를 가르쳐 주었니?
    B: 내가 독학했다.
  ❶ 나를 ❷ 나 자신 ❸ 우리 엄마 ❹ 그녀 자신 ❺ 그녀를

8 의문문에서 '무엇인가', 부정문에서 '아무것도'라는 뜻으로 사물을 가리키는 말은 anything이다.
  • A: 너는 별똥별에 대해서 무엇인가 알고 있니?
    B: 아니, 나는 그것들에 대해 아무것도 모른다.

9 ❶~❸, ❺는 의문사가 주어인 경우로 의문사 뒤에 일반동사가 바로 온다. ❹는 의문사가 목적어이므로 주어 앞에 do동사가 와야 한다.
  ❶ 누가 그 이야기를 말했니?
  ❷ 누가 눈사람을 만들었니?
  ❸ 무엇이 그 동굴에 살고 있니?
  ❹ What do you want for dinner? 너는 저녁 식사로 무엇을 원하니?
  ❺ 이것과 저것 중에서 어느 것이 더 좋아 보이니?

10 Thanksgiving Day(추수 감사절)와 같은 명절 앞에는 전치사 on을 쓴다.

❶ 에드거는 자기 생일에 일찍 일어났다.

❷ 수업 중에 휴대 전화를 사용하지 마라.

❸ 밤에 시끄럽게 하지 마라.

❹ They have a party on Thanksgiving Day.
그들은 추수 감사절에 파티를 한다.

❺ 우리 이모는 10년 동안 부산에 살고 계신다.

11 앞에 Has가 있는 것으로 보아 현재 완료 시제 의문문이므로 첫 번째 빈칸에는 과거분사 written이 와야 한다. 현재 완료 시제 의문문에 부정으로 대답할 때는 「No, 주어(대명사)+haven't/hasn't.」로 하므로 두 번째 빈칸에는 주어 he에 알맞은 hasn't를 쓴다.

· A: 그는 1학년 때부터 일기를 써 왔니?

  B: 아니, 그러지 않았다. 그는 한 번도 일기를 써 본 적이 없다.

12 첫 번째 문장은 의문문으로 '누군가'라는 뜻으로 사람을 가리키고 있으므로 anyone 또는 anybody를 쓴다. 두 번째 문장은 긍정의 평서문으로 '누군가'라는 뜻으로 사람을 가리키고 있으므로 someone 또는 somebody를 쓴다.

· A: 그 여행 중에 너는 누군가를 만났니?

  B: 응, 그랬다. 나는 잘생긴 누군가를 만났다.

13 첫 번째 대화에서는 Twice a week.(일주일에 두 번)로 대답하고 있으므로 횟수(how often)를 묻는 질문이 알맞다. 두 번째 대화에서는 One liter.(1리터)로 대답하고 있으므로, 양(how much)을 묻는 질문이 알맞다.

❶ 얼마나 자주 - (개수가) 얼마나 많은

❷ (개수가) 얼마나 많은 - (양이) 얼마나 많은

❸ 얼마나 자주 - (양이) 얼마나 많은

❹ 얼마나 오래 - (개수가) 얼마나 많은

❺ 얼마나 오래 - 얼마나 자주

14 '(둘 중에) 하나는 ~, 나머지 하나는 ~'이라는 의미를 나타낼 때, one ~, the other ~로 표현한다. ❷ the others는 나머지가 여러 개일 때 사용한다. ❺ some ~, others ~는 '일부는 ~, 또 다른 일부는 ~'이라는 의미이다.

❷ 하나는 파란색이고, 나머지들은 갈색이다.

❸ 하나는 파란색이고, 또 다른 하나는 갈색이다.

❹ 이것은 파란색이고, 저것은 갈색이다.

❺ 어떤 것들은 파란색이고, 다른 것들은 갈색이다.

15 재귀대명사는 '직접'이라는 의미로 주어를 강조하는 역할을 한다. 주어가 I이므로, 재귀대명사 myself를 문장 뒤에 쓴다.

❶ 나는 컴퓨터를 껐다.

❸ 컴퓨터가 꺼졌다.

❹ 컴퓨터가 저절로 꺼졌다.

16 긍정의 평서문에서 '누군가'라는 뜻으로 사람을 가리킬 때 someone 또는 somebody를 쓰고, 부정문에서 '아무도'라는 뜻으로 사람을 가리킬 때는 anyone 또는 anybody를 쓴다.

· A: 우리 뒤에 누군가 있다. 보이니?

  B: 아니, 안 보인다. 아무도 없다.

17 '즐거운 시간을 보내다'라는 뜻으로 enjoy oneself를 쓴다. 주어가 Mike and I이므로 we에 대한 재귀대명사인 ourselves를 쓴다.

18 '둘 사이에서'는 전치사 between을, '셋 사이에서'는 among을 쓴다. 부모님(parents)은 두 분이므로 between을 쓴다.

19 현재 완료 시제의 부정문에서 not은 has와 과거분사 forgotten 사이에 와야 한다.

20 「How many+복수명사 ~?」는 (명사가) 몇 개인지 묻는 표현이다. 그리고 일반동사가 쓰인 의문사 의문문이므로 주어 앞에 do동사를 써야 한다.

Final Test · 02
188~191쪽

1 ❺	2 ❺	3 ❷	4 ❷
5 ❸	6 ❺	7 ❹	8 ❷
9 ❺	10 ❷	11 ❹	12 ❺
13 ❶	14 ❶	15 ❸	

16 have sold

17 Somebody[Someone] cried

18 Have you listened to the music?

19 What sports can you play?

20 Help yourself to the ice cream.

해설

1 for와 during은 모두 '~ 동안'이라는 뜻이다. 하지만 숫자와 시간의 단위를 나타내는 말 앞에는 for를 쓰고, vacation, trip, weekend, class 등 기간을 나타내는 말 앞에는 during을 쓴다. 그러므로 ❺는 during the vacation이 알맞다.

2 '두 달 전부터 지금까지' 계속해서 비가 내리지 않고 있는 상태는 현재 완료 시제로 표현한다. 주어가 It이므로 has가 와야 하고, 부정을 나타내는 not은 has와 과거분사(rained) 사이에 쓴다.

· 두 달 동안 비가 내리지 않는다.

3 앞에 나온 모자와 같은 종류로 '또 다른 하나'를 의미하므로 another를 쓴다.

· 나는 이 모자가 마음에 안 들어요. 내게 다른 것을 보여 주시겠어요?

❶ 내게 하나 보여 주시겠어요?

❸ 내게 나머지 하나를 보여 주시겠어요?

❹ 내게 어떤 것이라도 보여 주세요.

❺ 내게 무엇인가를 보여 주세요.

4 ❶~❺는 현재 완료 시제 문장이다. ❶에서는 주어가 3인칭 단수(David)이므로 has를 쓴다. ❸의 never는 have와 written 사이에 쓴다. ❹의 hasn't 다음에는 과거분사인 driven이 알맞고, ❺의 Has Mom 뒤에는 과거분사 finished가 알맞다.

❶ David has been my best friend for ten years. 데이비드는 10년 동안 내 가장 친한 친구이다.

❷ 벤슨 선생님은 지난달부터 우리를 가르치신다.

❸ You have never written a letter to me. 너는 내게 한 번도 편지를 쓴 적이 없다.

❹ My dad hasn't driven a car for two years. 우리 아빠는 2년 동안 자동차를 운전하지 않고 계신다.

❺ Has Mom finished the sweater already? 엄마는 그 스웨터를 벌써 끝마치셨니?

5 ❶~❺의 재귀대명사는 주어와 같은 대상을 가리킬 때 쓴다. ❶의 Mozart는 3인칭 단수 남성이므로 himself를 써야 한다. 복수인 재귀대명사에는 -selves를 쓰므로 ❷, ❹의 ourself와 themself는 ourselves, themselves로 고쳐 써야 한다. ❺의 주어는 My sister and I이므로 meself 대신 ourselves가 알맞다.

❶ Mozart taught himself to play the violin. 모차르트는 바이올린을 켜는 것을 스스로 배웠다.

❷ My brother and I helped ourselves to the cookies. 내 남동생과 나는 과자를 마음껏 먹었다.

❸ 네가 직접 그 컴퓨터를 고쳤니?

❹ The farmers themselves sell the vegetables. 그 농부들은 직접 채소를 판다.

❺ My sister and I ourselves take care of our pet. 내 여동생과 나는 직접 우리 애완동물을 돌본다.

6 ❶의 의문사가 있는 일반동사 의문문에서는 주어 앞에 do동사를 쓴다. ❷는 문장 끝에 A or B가 있으므로, 선택을 묻는 의문사 which가 알맞다. ❸의 movies는 셀 수 있는 명사이므로 how many로 개수를 묻는다. ❹의 time은 셀 수 없는 명사이므로 how much로 양을 묻는다.

❶ Why did you get up so early? 너는 왜 그렇게 일찍 일어났니?

❷ Which do you want, a camera or a phone? 너는 사진기와 전화기 중에서 어느 것을 원하니?

❸ How many movies did you watch this month? 너는 이번 달에 얼마나 많은 영화를 보았니?

❹ How much time do you have? 너는 시간이 얼마나 있니?

❺ 누가 이 책을 썼니?

7 현재 완료 시제 문장이므로 has 다음에 과거분사를 쓴다. ❹ break의 과거분사형은 broken이다.

❶ 바이올렛은 자기 우산을 잃어버렸다.

❷ 바이올렛은 자기 우산을 찾았다.

❸ 바이올렛은 자기 우산을 가져왔다.

❺ 바이올렛은 자기 우산을 두고 왔다.

8 부정문에서 '아무것도'라는 뜻으로 사물을 가리킬 때는 anything을 쓴다.
 • 나는 하늘에서 이상한 것을 발견했다.
 → 나는 하늘에서 이상한 것을 아무것도 발견하지 못했다.

9 현재 완료 시제의 부정문은 have/has와 과거분사(gone) 사이에 not을 써서 haven't/hasn't로 줄여 쓸 수 있다.
 • 여름은 이미 가 버렸다.
 → 여름은 아직 가지 않았다.

10 '~ 옆에'라는 의미의 전치사는 beside이다.

❶ ~ 아래 ❷ ~ 옆에 ❸ ~ 뒤에 ❹ ~ 위에 ❺ ~ 위에

11 how heavy는 얼마나 무거운지 무게를 묻는 표현이므로, 무게(two kilograms)를 말하고 있는 ❹가 알맞다.
 • 네 배낭은 얼마나 무겁니?
❶ 그것은 키가 30센티미터이다.
❷ 응, 그래.
❸ 그것은 파란색이다.
❹ 그것은 2킬로그램이다.
❺ 2시 정각이다.

12 how는 방법을 묻는 의문사이다. 출근하는 방법을 묻고 있으므로, 교통수단(by subway)을 말하고 있는 ❺가 알맞다.
 • 네 엄마는 출근을 어떻게 하시니?
❶ 응, 그러신다.
❷ 아니, 그러지 않으신다.
❸ 그녀는 8시 30분에 출근하신다.
❹ 그녀는 운전을 하실 수 없기 때문이다.
❺ 그녀는 지하철로 출근하신다.

13 현재 완료 시제의 의문문에 부정으로 답할 때는 「No, 주어(대명사)+haven't/hasn't」로 해야 하므로 ❶에서 No, it didn't. 대신 No, it hasn't.로 한다.
❶ A: 비가 벌써 그쳤니?
 B: No, it hasn't. 아니, 안 그쳤어.
❷ A: 너희 학교는 언제 시작하니?
 B: 3월에 시작한다.
❸ A: 그 도서관은 어디에 있니?
 B: 메인 스트리트에 있다.
❹ A: 잘못된 것이 있니?
 B: 그래, 무엇인가 잘못되었어.
❺ A: 너는 곰 인형을 가져 본 적이 있니?
 B: 응, 있다.

14 '(아무 영화 중에) 한 편을 보고 있다'는 뜻이므로 one이 알맞다. 대명사 it은 앞에 나온 명사 '바로 그것'을 가리키므로 알맞지 않다.
 • 빌은 영화를 무척 좋아한다. 그는 지금 영화 한 편을 보고 있다.

15 hurt oneself는 '다치다'라는 뜻이다. 주어가 I이므로 myself가 알맞다.
 • 나는 발레 연습을 하고 있었는데, 다쳤다.

16 '~해 버렸다'라는 뜻은 현재 완료 시제인 「have/has+과거분사」로 쓴다. 주어가 3인칭 복수(They)이고 sell의 과거분사형은 sold이므로 have sold가 알맞다.

17 긍정문에서 '누군가'라는 뜻은 somebody 혹은 someone을 쓴다. 과거 시제이므로 동사는 cried로 쓴다.

18 과거부터 현재까지의 '경험'을 현재 완료 시제로 표현한다. 현재 완료 시제의 의문문은 「Have+주어+과거분사 ~?」로 쓴다.

19 조동사가 쓰인 의문사 의문문에서는, 의문사와 주어 사이에 조동사를 쓴다.

20 '~을 마음껏 먹다'라는 뜻으로, help oneself to ~를 쓴다. 명령문에서는 주어가 you이므로 yourself 또는 yourselves를 쓴다.

Grammar, ZAP!

VOCABULARY
단어장

심화 **3**

CHUNJAE EDUCATION, INC.

Aha!

"단어장 활용 방법"

각 Unit의 학습 내용과 관련된 핵심 단어들을 확인합니다.

우리말 뜻을 보며 정확하게 이해하면서 외워 봐요.

이때 영어 단어는 개별적으로 외우지 말고 문장과 함께 외우도록 합니다.

퀴즈를 풀며 잘 모르는 단어는 다시 한 번 확인해 보는 것도 잊지 마세요!

Grammar, ZAP!

VOCABULARY
단어장

심화 **3**

01	**help A with B** A가 B하는 것을 돕다	Help me with my homework. 내 숙제를 도와줘.
02	**better** (부) 더 잘, 더 많이	Which do you like better, cats or dogs? 고양이와 개 중에서 너는 어느 것을 더 좋아하니?
03	**invite** (동) 초대하다	Who did you invite to the party? 너는 파티에 누구를 초대했니?
04	**buy** (동) 사다	Where did you buy the bag? 너는 그 가방을 어디에서 샀니?
05	**because** (접) ~하기 때문에, ~해서	Because he is very nice. 그가 매우 친절하기 때문이다.
06	**arrive** (동) 도착하다	When will the train arrive? 그 기차는 언제 도착할까?
07	**spell** (동) 철자를 말하다[쓰다]	How do you spell your name? 네 이름의 철자를 어떻게 쓰니?
08	**cave** (명) 동굴	What lives in the cave? 동굴 안에 무엇이 사니?
09	**first** (부) 우선, 맨 먼저, 처음	Which comes first, the chicken or the egg? 닭과 달걀 중에서 어느 것이 먼저니?
10	**invent** (동) 발명하다	What did Edison invent? 에디슨은 무엇을 발명했니?

2

01	**miss** ⑧ 놓치다	Because she missed the bus. 그녀가 버스를 놓쳤기 때문이다.
02	**free** ⑱ 한가한	When are you free? 너[너희]는 언제 한가하니?
03	**take place** (사건·행사 등이) 벌어지다, 개최되다	Where is the festival taking place? 그 축제는 어디에서 열리고 있니?
04	**all the time** 내내, 줄곧	Why does Mary wear black all the time? 메리는 왜 항상 검은 옷을 입니?
05	**costume** ⑲ 의상	Why does she need the costume? 그녀는 왜 그 의상이 필요하니?
06	**end** ⑧ 끝나다	When does your school end? 너희 학교는 언제 끝나니?
07	**rude** ⑱ 무례한	Because he is rude. 그가 무례하기 때문이다.
08	**upset** ⑱ 속상한	Why are you upset? 너는 왜 속상하니?
09	**hawk** ⑲ 매	Which flies higher, an eagle or a hawk? 독수리와 매 중에서 어느 것이 더 높이 나니?
10	**sale** ⑲ 판매	When is the cookie sale? 과자 판매는 언제니?

3

✖ 다음 영어에 알맞은 우리말 뜻을 빈칸에 쓰세요.

01   help A with B   _____

02   better   _____

03   invite   _____

04   buy   _____

05   because   _____

06   arrive   _____

07   spell   _____

08   cave   _____

09   first   _____

10   invent   _____

✖ 다음 우리말 뜻에 알맞은 영어를 빈칸에 쓰세요.

01   놓치다

_____

02   한가한

_____

03   (사건·행사 등이)
벌어지다, 개최되다

_____

04   내내, 줄곧

_____

05   의상

_____

06   끝나다

_____

07   무례한

_____

08   속상한

_____

09   매

_____

10   판매

_____

01	**subject** 명 과목	Which subject do you like more, math or art? 너는 수학과 미술 중에서 어느 과목을 더 좋아하니?
02	**borrow** 통 빌리다	Whose notebook did you borrow? 너는 누구의 공책을 빌렸니?
03	**turkey** 명 칠면조	How heavy is the turkey? 그 칠면조는 얼마나 무겁니?
04	**only** 부 오직[겨우]	I have only one brother. 나는 남자 형제가 딱 한 명 있다.
05	**gym clothes** 체육복	Whose gym clothes are these? 이것들은 누구의 체육복이니?
06	**correct** 형 맞는, 정확한	Whose answer is correct? 누구의 답이 맞니?
07	**weigh** 통 무게가 ~이다	It weighs about 5 kilograms. 무게가 5킬로그램쯤 나간다.
08	**missing** 형 없어진[실종된]	Whose cat is missing? 누구의 고양이가 없어졌니?
09	**choose** 통 선택하다	Whose idea did they choose? 그들은 누구의 아이디어를 선택했니?
10	**away** 부 떨어져, 떨어진 곳에	It is 20 meters away. 20미터 떨어져 있다.

01 **dozen**
형 12개짜리 한 묶음

She baked two dozen.
그녀는 스물네 개를 구웠다.

02 **grow**
통 자라다, 크다

How tall can this tree grow?
이 나무는 얼마나 높이 자랄 수 있니?

03 **break**
통 깨뜨리다

How many dishes did Charlie break?
찰리는 접시를 몇 개 깨뜨렸니?

04 **collect**
통 수집하다

How many stamps did Michelle collect?
미셸은 우표를 얼마나 많이 수집했니?

05 **save**
통 모으다

How much money did he save?
그는 돈을 얼마나 많이 모았니?

06 **nickname**
명 별명

What nicknames do you have?
너는 어떤 별명들을 가지고 있니?

07 **catch**
통 잡다

How many butterflies did Paul catch?
폴은 나비를 얼마나 많이 잡았니?

08 **vote for**
~에 투표하다

How many students voted for Paris?
얼마나 많은 학생들이 파리에 투표했니?

09 **close**
형 가까운

Which city is closer to Korea, New York or Sydney?
뉴욕과 시드니 중에서 어느 도시가 한국에 더 가깝니?

10 **take**
통 (얼마의 시간이) 걸리다

It takes 11 hours.
열한 시간 걸린다.

✖ 다음 영어에 알맞은 우리말 뜻을 빈칸에 쓰세요.

01   subject   _____

02   borrow   _____

03   turkey   _____

04   only   _____

05   gym clothes   _____

06   correct   _____

07   weigh   _____

08   missing   _____

09   choose   _____

10   away   _____

✖ 다음 우리말 뜻에 알맞은 영어를 빈칸에 쓰세요.

01   12개짜리 한 묶음   _____

02   자라다, 크다   _____

03   깨뜨리다   _____

04   수집하다   _____

05   모으다   _____

06   별명   _____

07   잡다   _____

08   ~에 투표하다   _____

09   가까운   _____

10   (얼마의 시간이) 걸리다   _____

01	**glasses** 명 안경	He wore glasses two years ago. 그는 2년 전에 안경을 썼다.
02	**bat** 명 박쥐	We have seen bats. 우리는 박쥐를 본 적이 있다.
03	**before** 부 ~ 전에	They have not visited New York before. 그들은 전에 뉴욕을 방문한 적이 없다.
04	**feel well** 건강 상태가 좋다	Roy has not felt well since breakfast. 로이는 아침 식사 이후로 몸이 좋지 않다.
05	**finish** 동 끝내다	Has Kate finished her homework already? 케이트는 벌써 숙제를 끝냈니?
06	**feed** 동 먹이를 주다	Have they fed their dog already? 그들은 벌써 개에게 먹이를 주었니?
07	**since** 전 ~ 이후로, ~부터	They have lived in London since 2010. 그들은 2010년부터 런던에 살아 왔다.
08	**already** 부 이미, 벌써	You have cleaned your room already. 너는 네 방을 이미 청소했다.
09	**yet** 부 아직	She hasn't come home yet. 그녀는 아직 집에 오지 않았다.
10	**do the dishes** 설거지를 하다	You have done the dishes already. 너는 이미 설거지를 했다.

01	**lock** 통 (자물쇠로) 잠그다	Jenny has locked the door. 제니는 그 문을 잠가 버렸다.
02	**each other** 서로	They haven't spoken to each other for a week. 그들은 일주일 동안 서로 말을 하지 않는다.
03	**hear** 통 듣다	Have you heard about time machines? 너는 타임머신에 대하여 들은 적이 있니?
04	**fall** 통 떨어지다	The leaves have not fallen yet. 그 나뭇잎들은 아직 떨어지지 않았다.
05	**water** 통 물을 주다	My parents have watered the plants already. 우리 부모님은 이미 그 식물에 물을 주셨다.
06	**grade** 명 학년	Sandy has been my friend since the second grade. 샌디는 2학년 때부터 내 친구이다.
07	**soda** 명 탄산음료	They haven't drunk soda for two days. 그들은 이틀째 탄산음료를 마시지 않는다.
08	**invitation** 명 초대, 초대장	Have you sent the invitations? 너는 초대장을 보냈니?
09	**vet** 명 수의사	Has your mother been a vet for many years? 너희 어머니는 여러 해 동안 수의사시니?
10	**south** 부 남쪽으로	The birds have not flown south. 그 새들은 남쪽으로 날아가지 않았다.

✖ 다음 영어에 알맞은 우리말 뜻을 빈칸에 쓰세요.

01   glasses   _____

02   bat   _____

03   before   _____

04   feel well   _____

05   finish   _____

06   feed   _____

07   since   _____

08   already   _____

09   yet   _____

10   do the dishes   _____

✖ 다음 우리말 뜻에 알맞은 영어를 빈칸에 쓰세요.

01 (자물쇠로) 잠그다 _____

02 서로 _____

03 듣다 _____

04 떨어지다 _____

05 물을 주다 _____

06 학년 _____

07 탄산음료 _____

08 초대, 초대장 _____

09 수의사 _____

10 남쪽으로 _____

01	**several** 형 (몇)몇의	They have won several times. 그들은 우승해 본 적이 몇 번 있다.
02	**time** 형 ~ 번	They have watched the musical several times. 그들은 그 뮤지컬을 본 적이 몇 번 있다.
03	**country** 명 나라	Has that country ever won the World Cup before? 그 나라는 전에 월드컵에서 우승해 본 적이 있니?
04	**volunteer** 동 자원봉사를 하다	Tom has volunteered at a hospital twice. 톰은 병원에서 자원봉사를 한 적이 두 번 있다.
05	**twice** 부 두 번	The dog has broken its leg twice. 그 개는 다리가 부러진 적이 두 번 있다.
06	**make one's bed** (기상 후) 잠자리를 개다[정돈하다]	Has she made her bed yet? 그녀는 이미 잠자리를 정돈했니?
07	**pork** 명 돼지고기	She and Kamil have never eaten pork. 그녀와 카밀은 돼지고기를 먹어 본 적이 전혀 없다.
08	**camel** 명 낙타	She has seen a camel before. 그녀는 전에 낙타를 본 적이 있다.
09	**wipe** 동 닦다	He has just wiped the dishes. 그는 방금 그릇을 닦았다.
10	**telescope** 명 망원경	Mr. Hans has just fixed your telescope. 한스 씨가 네 망원경을 방금 고쳤다.

01	**prize** 명 상	I have won the prize once. 나는 그 상을 탄 적이 한 번 있다.
02	**shooting star** 별똥별	He has seen a shooting star three times. 그는 별똥별을 본 적이 세 번 있다.
03	**sweep** 동 쓸다	My sister has swept the floor already. 내 여동생은 이미 바닥을 쓸었다.
04	**octopus** 명 문어	Have you ever eaten octopus? 너는 문어를 먹어 본 적이 있니?
05	**present** 명 선물	Have they bought my present already? 그들은 벌써 내 선물을 샀니?
06	**make a mistake** 실수를 하다	You have made a big mistake before. 너는 전에 큰 실수를 한 적이 있다.
07	**knit** 동 실로 뜨다, 짜다	Mom has knitted two sweaters already. 엄마는 스웨터 두 벌을 이미 뜨셨다.
08	**return** 동 돌아오다	The birds haven't returned yet. 그 새들은 아직 돌아오지 않았다.
09	**take off** 이륙하다	The plane has not taken off yet. 그 비행기는 아직 이륙하지 않았다.
10	**begin** 동 시작하다	The movie has just begun. 그 영화는 지금 막 시작했다.

✖ 다음 영어에 알맞은 우리말 뜻을 빈칸에 쓰세요.

01   several   _____

02   time   _____

03   country   _____

04   volunteer   _____

05   twice   _____

06   make one's bed   _____

07   pork   _____

08   camel   _____

09   wipe   _____

10   telescope   _____

✖ 다음 우리말 뜻에 알맞은 영어를 빈칸에 쓰세요.

01   상   _____

02   별똥별   _____

03   쏠다   _____

04   문어   _____

05   선물   _____

06   실수를 하다   _____

07   실로 뜨다, 짜다   _____

08   돌아오다   _____

09   이륙하다   _____

10   시작하다   _____

01	**raise** 통 기르다	I have raised a hamster for five months. 나는 햄스터 한 마리를 5개월 동안 키우고 있다.
02	**for** 전 ~ 동안	She has been a dentist for ten years. 그녀는 10년 동안 치과 의사이다.
03	**break down** 고장 나다	The car has broken down. 그 자동차는 고장 나 버렸다.
04	**forget** 통 잊어버리다	I have forgotten his name. 나는 그의 이름을 잊어버렸다.
05	**leave** 통 ~을 두고 오다[가다]	Has he left his watch at home? 그는 손목시계를 집에 두고 왔니?
06	**lose** 통 잃어버리다	She has lost her key. 그녀는 자기 열쇠를 잃어버렸다.
07	**hurt** 통 다치게 하다, 다치다	Has she hurt her arm? 그녀는 팔을 다쳤니?
08	**go bad** (음식 등이) 상하다	Has the milk gone bad? 그 우유는 상해 버렸니?
09	**sell** 통 팔다	They have sold the concert tickets. 그들은 콘서트 입장권을 팔아 버렸다.
10	**have a headache** 두통이 있다	Have you had a headache since two o'clock? 너는 2시부터 두통이 있니?

01	**reporter** 명 기자	Has Barbara been a reporter for three years? 바버라는 3년 동안 기자니?
02	**stay** 통 머무르다	We have stayed at Bill's house for two days. 우리는 이틀 동안 빌의 집에서 머물고 있다.
03	**textbook** 명 교과서	Has she left her textbook at home? 그녀는 집에 교과서를 두고 왔니?
04	**pet** 명 애완동물	Has he lost his pet? 그는 자기 애완동물을 잃어버렸니?
05	**purse** 명 지갑	Angela has found her purse. 앤절라는 자기 지갑을 찾았다.
06	**check** 통 살피다, 확인하다	I have not checked my e-mail for a week. 나는 일주일 동안 이메일을 확인하지 않고 있다.
07	**wild goose** 기러기	Has the wild goose flown north? 그 기러기는 북쪽으로 날아가 버렸니?
08	**have a cold** 감기에 걸리다	I haven't had a cold since last year. 나는 지난해부터 감기에 걸리지 않는다.
09	**password** 명 암호, 비밀번호	Have you forgotten the password? 너는 비밀번호를 잊어버렸니?
10	**for a long time** 오랫동안	Have you swum for a long time? 당신은 오랫동안 수영을 해 왔나요?

✖ 다음 영어에 알맞은 우리말 뜻을 빈칸에 쓰세요.

01   raise   _____

02   for   _____

03   break down   _____

04   forget   _____

05   leave   _____

06   lose   _____

07   hurt   _____

08   go bad   _____

09   sell   _____

10   have a headache   _____

✖ 다음 우리말 뜻에 알맞은 영어를 빈칸에 쓰세요.

01   기자   _____

02   머무르다   _____

03   교과서   _____

04   애완동물   _____

05   지갑   _____

06   살피다, 확인하다   _____

07   기러기   _____

08   감기에 걸리다   _____

09   암호, 비밀번호   _____

10   오랫동안   _____

01	**test** 몡 시험	We have a test on Wednesday. 우리는 수요일에 시험이 있다.
02	**July** 몡 7월	Summer starts in July. 여름은 7월에 시작된다.
03	**meal** 몡 식사	They didn't speak during the meal. 그들은 식사하는 동안 말을 하지 않았다.
04	**floor** 몡 바닥	There is water on the floor. 바닥 위에 물이 있다.
05	**grass** 몡 풀, 잔디	Don't sit on the grass. 잔디 위에 앉지 마라.
06	**bloom** 통 꽃이 피다	The flower blooms from spring to fall. 그 꽃은 봄부터 가을까지 핀다.
07	**cloudy** 혱 흐린	It will be cloudy in the afternoon. 오후에는 날씨가 흐릴 것이다.
08	**vacation** 몡 방학	We went camping during the vacation. 우리는 방학 동안 캠핑하러 갔다.
09	**eagle** 몡 독수리	The eagles are flying over the farm. 독수리들이 농장 위를 날고 있다.
10	**shy** 혱 수줍은	The shy boy couldn't talk in front of girls. 그 수줍은 남자아이는 여자아이들 앞에서 말을 할 수 없었다.

01	**travel** ⑧ 여행하다	They traveled for two weeks. 그들은 2주 동안 여행했다.
02	**hide** ⑧ 숨다	The kid hid behind the curtain. 그 아이는 커튼 뒤에 숨었다.
03	**hang** ⑧ 걸다, 매달다	Let's hang the picture on the wall. 그 그림을 벽에 걸자.
04	**ring** ⑧ 울리다	The phone rang at midnight. 한밤중에 전화가 울렸다.
05	**look for** ~을 찾다	We looked for our puppy for three hours. 우리는 세 시간 동안 강아지를 찾았다.
06	**seagull** ⑱ 갈매기	Seagulls are flying over the sea. 갈매기들이 바다 위를 날고 있다.
07	**fountain** ⑱ 분수, 분수대	A fountain is in front of the school. 분수대 하나가 학교 앞에 있다.
08	**pick** ⑧ 고르다, 뽑다	He picked *Harry Potter* among lots of books. 그는 많은 책들 중에서 『해리 포터』를 골랐다.
09	**bakery** ⑱ 빵집, 제과점	Miles is standing in front of the bakery. 마일스가 제과점 앞에 서 있다.
10	**bark** ⑧ 짖다	My puppy doesn't bark at night. 우리 강아지는 밤에 짖지 않는다.

✖ 다음 영어에 알맞은 우리말 뜻을 빈칸에 쓰세요.

01   test   _____

02   July   _____

03   meal   _____

04   floor   _____

05   grass   _____

06   bloom   _____

07   cloudy   _____

08   vacation   _____

09   eagle   _____

10   shy   _____

✖ 다음 우리말 뜻에 알맞은 영어를 빈칸에 쓰세요.

01 　여행하다 　　　　　　　　　　_____

02 　숨다 　　　　　　　　　　_____

03 　걸다, 매달다 　　　　　　　_____

04 　울리다 　　　　　　　　　_____

05 　~을 찾다 　　　　　　　　_____

06 　갈매기 　　　　　　　　　_____

07 　분수, 분수대 　　　　　　　_____

08 　고르다, 뽑다 　　　　　　　_____

09 　빵집, 제과점 　　　　　　　_____

10 　짖다 　　　　　　　　　　_____

01	**be proud of** ~을 자랑스러워하다	You must be proud of yourself. 너는 틀림없이 너 자신이 자랑스러울 것이다.
02	**lick** 동 핥다	The cat licked itself. 그 고양이는 자기를 핥았다.
03	**introduce** 동 소개하다	The boy introduced himself. 그 남자아이는 자기 자신을 소개했다.
04	**take care of** ~을 돌보다	Babies can't take care of themselves. 아기들은 자기 자신을 보살필 수 없다.
05	**mirror** 명 거울	I looked at myself in the mirror. 나는 거울에서 나 자신을 보았다.
06	**take pictures of** ~의 사진을 찍다	Christina took pictures of herself. 크리스티나는 자기 자신을 사진으로 찍었다.
07	**exam** 명 시험	The exam itself isn't difficult. 그 시험 자체는 어렵지 않다.
08	**train** 동 훈련시키다	The kids trained the dog themselves. 그 아이들은 그 개를 직접 훈련시켰다.
09	**race** 명 경주	The horse hurt itself during the race. 그 말은 경주 중에 다쳤다.
10	**decorate** 동 장식하다	Lisa decorated her room herself. 리사는 자기 방을 직접 장식했다.

01	**nest** (명) 둥지	The bird built a nest itself. 그 새는 직접 둥지를 지었다.
02	**turn off** 끄다	The computer turned off by itself. 그 컴퓨터는 저절로 꺼졌다.
03	**headband** (명) 머리띠	I will buy a new headband for myself. 나는 나 자신을 위해 새 머리띠를 살 것이다.
04	**be careful with** ~을 조심하다	Be careful with the hammer, or you will hurt yourself. 망치를 조심해라, 그러지 않으면 네가 다칠 것이다.
05	**German** (명) 독일어	I am teaching myself German. 나는 독일어를 독학하고 있다.
06	**tongue** (명) 혀	The lion cleaned itself with its tongue. 그 사자는 자기 혀로 자신을 깨끗이 닦았다.
07	**classmate** (명) 반 친구	Anna introduced herself to her new classmates. 애나는 새 반 친구들에게 자신을 소개했다.
08	**fence** (명) 울타리	I can fix the fence myself. 내가 직접 그 울타리를 고칠 수 있다.
09	**neighbor** (명) 이웃	She introduced herself to the neighbors. 그녀는 이웃에게 자기 자신을 소개했다.
10	**comb** (통) 빗다, 빗질하다	Does the little boy comb his hair by himself? 그 어린 남자아이는 혼자서 머리를 빗니?

✖ 다음 영어에 알맞은 우리말 뜻을 빈칸에 쓰세요.

01   be proud of   _____

02   lick   _____

03   introduce   _____

04   take care of   _____

05   mirror   _____

06   take pictures of   _____

07   exam   _____

08   train   _____

09   race   _____

10   decorate   _____

✖ 다음 우리말 뜻에 알맞은 영어를 빈칸에 쓰세요.

01 둥지 _____

02 끄다 _____

03 머리띠 _____

04 ~을 조심하다 _____

05 독일어 _____

06 혀 _____

07 반 친구 _____

08 울타리 _____

09 이웃 _____

10 빗다, 빗질하다 _____

01	**be famous for** ~으로 유명하다	This bakery is famous for pumpkin pies. 이 제과점은 호박파이로 유명하다.
02	**strange** 형 이상한	There is something strange in the soup. 수프 안에 이상한 것이 있다.
03	**join** 동 가입하다	Will anyone join the club? 누구 그 동아리에 가입할 거니?
04	**noisy** 형 시끄러운	One is cute, another is lazy, and the other is noisy. 하나는 귀엽고, 다른 하나는 게으르고, 나머지 하나는 시끄럽다.
05	**hobby** 명 취미	He has three hobbies. 그는 취미가 세 가지이다.
06	**dark** 명 어둠	Someone was crying in the dark. 누군가 어둠 속에서 울고 있었다.
07	**secret** 명 비밀	Don't tell anybody the secret. 아무에게도 그 비밀을 말하지 마라.
08	**try on** 입어 보다	Can I try on a bigger one? 더 큰 것을 입어 봐도 되니?
09	**slim** 형 날씬한	One is thin, another is slim, and the other is fat. 하나는 말랐고, 다른 하나는 날씬하고, 나머지 하나는 뚱뚱하다.
10	**forest** 명 숲	The police found something in the forest. 경찰은 숲에서 무엇인가 발견했다.

01	**daughter** 똉 딸	He has three daughters. 그는 딸이 세 명 있다.
02	**get** 통 얻다, 구하다	I'm going to get another soon. 나는 곧 또 다른 하나를 구할 것이다.
03	**twin** 똉 쌍둥이 (중의 한 명)	The twins are very different. 그 쌍둥이들은 매우 다르다.
04	**shout** 통 소리치다	Somebody shouted outside. 누군가 밖에서 소리쳤다.
05	**purple** 혱 자주색의	One is purple, another is yellow, and the other is blue. 하나는 자주색이고, 다른 하나는 노란색이고, 나머지 하나는 파란색이다.
06	**friendly** 혱 다정한	One is smart, another is friendly, and the other is brave. 하나는 영리하고, 다른 하나는 다정하고, 나머지 하나는 용감하다.
07	**clothes** 똉 옷	My clothes are boring. 내 옷은 지루하다.
08	**bored** 혱 지루해하는	I'm bored. 나는 지루하다.
09	**hard** 혱 딱딱한	I don't want anything hard. 나는 딱딱한 것을 아무것도 원하지 않는다.
10	**flag** 똉 기, 깃발	There are three colors in the Italian flag. 이탈리아 국기에는 세 가지 색이 있다.

✖ 다음 영어에 알맞은 우리말 뜻을 빈칸에 쓰세요.

01 be famous for _____

02 strange _____

03 join _____

04 noisy _____

05 hobby _____

06 dark _____

07 secret _____

08 try on _____

09 slim _____

10 forest _____

✖ 다음 우리말 뜻에 알맞은 영어를 빈칸에 쓰세요.

01   딸   _____

02   얻다, 구하다   _____

03   쌍둥이 (중의 한 명)   _____

04   소리치다   _____

05   자주색의   _____

06   다정한   _____

07   옷   _____

08   지루해하는   _____

09   딱딱한   _____

10   기, 깃발   _____

Answers

Unit 01 의문사 있는 의문문 (1)

Quiz 01

1 A가 B하는 것을 돕다
2 더 잘, 더 많이
3 초대하다
4 사다
5 ~하기 때문에, ~해서
6 도착하다
7 철자를 말하다[쓰다]
8 동굴
9 우선, 맨 먼저, 처음
10 발명하다

Quiz 02

1 miss
2 free
3 take place
4 all the time
5 costume
6 end
7 rude
8 upset
9 hawk
10 sale

Unit 02 의문사 있는 의문문 (2)

Quiz 01

1 과목
2 빌리다
3 칠면조
4 오직[겨우]
5 체육복
6 맞는, 정확한
7 무게가 ~이다
8 없어진[실종된]
9 선택하다
10 떨어져, 떨어진 곳에

Quiz 02

1 dozen
2 grow
3 break
4 collect
5 save
6 nickname
7 catch
8 vote for
9 close
10 take

Unit 03 현재 완료 시제 (1)

Quiz 01

1 안경
2 박쥐
3 ~ 전에
4 건강 상태가 좋다
5 끝내다
6 먹이를 주다
7 ~ 이후로, ~부터
8 이미, 벌써
9 아직
10 설거지를 하다

Quiz 02

1 lock
2 each other
3 hear
4 fall
5 water
6 grade
7 soda

8 invitation
9 vet
10 south

04 현재 완료 시제 (2)

Quiz 01

1 (몇)몇의
2 ~ 번
3 나라
4 자원봉사를 하다
5 두 번
6 (기상 후) 잠자리를 개다[정돈하다]
7 돼지고기
8 낙타
9 닭다
10 망원경

Quiz 02

1 prize
2 shooting star
3 sweep
4 octopus
5 present
6 make a mistake
7 knit
8 return
9 take off
10 begin

05 현재 완료 시제 (3)

Quiz 01

1 기르다
2 ~ 동안

3 고장 나다
4 잊어버리다
5 ~을 두고 오다[가다]
6 잃어버리다
7 다치게 하다, 다치다
8 (음식 등이) 상하다
9 팔다
10 두통이 있다

Quiz 02

1 reporter
2 stay
3 textbook
4 pet
5 purse
6 check
7 wild goose
8 have a cold
9 password
10 for a long time

06 전치사

Quiz 01

1 시험
2 7월
3 식사
4 바닥
5 풀, 잔디
6 꽃이 피다
7 흐린
8 방학
9 독수리
10 수줍은

Quiz 02

1 travel

Answers

2 hide
3 hang
4 ring
5 look for
6 seagull
7 fountain
8 pick
9 bakery
10 bark

07 재귀대명사

Quiz 01

1 ~을 자랑스러워하다
2 핥다
3 소개하다
4 ~을 돌보다
5 거울
6 ~의 사진을 찍다
7 시험
8 훈련시키다
9 경주
10 장식하다

Quiz 02

1 nest
2 turn off
3 headband
4 be careful with
5 German
6 tongue
7 classmate
8 fence
9 neighbor
10 comb

08 부정대명사

Quiz 01

1 ~으로 유명하다
2 이상한
3 가입하다
4 시끄러운
5 취미
6 어둠
7 비밀
8 입어 보다
9 날씬한
10 숲

Quiz 02

1 daughter
2 get
3 twin
4 shout
5 purple
6 friendly
7 clothes
8 bored
9 hard
10 flag

Grammar, ZAP!

VOCABULARY 단어장

심화 **3**

CHUNJAE EDUCATION, INC.